だれでも飼える日本ミツバチ

藤原誠太

現代式縦型巣箱でらくらく採蜜

農文協

はじめに

日本ミツバチを継続的に上手に養蜂するためには、一にも二にも四季折々の飼育手法を自分自身で注意深く体得していくことが必要です。一年間通して飼わないとわからないこともあるし、自然界には一〇年単位で一回しか起こらないことや例外だってあるので、想像力を持ちながらつねに学び続ける謙虚な姿勢が大切です。ミツバチには飼われているという意識がありません。とくに日本ミツバチは野生種ですから、人がミツバチの側に立って自然の一部になり観察します。日本ミツバチを飼育することで自然の側に身を置くことができ、自然との対話をより実感することでしょう。

○

日本ミツバチは居住環境がよければ居続けようとしますが、あわないとすぐに逃去（移動）します。こちらがミツバチに寄り添い、共生して飼育環境をよくし、その結果としてより多く蓄えられた蜂蜜をいただくという考え方で飼っていきます。ですから、ミツバチ自身の快不快について学び、自分のことのように感じることが、飼育に直接役に立ちます。たとえば、ミツバチは人間でいえば〝乱視〟なので細かいことは見ていませんが、それを知っているだけでも扱い方に幅が出てくるでしょう。正確に知ると日本ミツバチは全然こわい生き物ではありません。また、決して飼育法が難しい生き物でもありません。あくまで大事なことは、その個性（特徴）を理解しようとする心がまえといえます。

○

自然界では五〇〇〇万年以上前から「ハナバチと植物の受粉のやりとり」が続いています。そして、五〇〇万年前には現在のような高度な社会性をもったミツバチの種類が確立されたといわれています。しかし、西洋ミツバチを巣枠式のいまのような巣箱で飼う方法が確立したのは、ほんの一五〇年ほど前です。この方法が明治時代に日本に入ってきたとき、日本ミツバチにそのままのやり方を当てはめようとした試みはうまくいきませんでした。主因は、巣房の口径、居並ぶ巣脾と巣脾の間隔等が、両ミツバチで微妙に違うことでした。巣房の口径（働き蜂房）は、日本ミツバチが約四・七～四・九㎜で、西洋ミツバチは五・二～五・四㎜。巣脾と巣脾のすき間は、日本ミツバチと西洋ミツバチとで約五㎜違います。こうしたことはここ二〇～三〇年ほどの研究でやっとわかってきたのですが、当時はそれに気づかず、逆に〝日本ミツバチはダメな蜂〟とされて、日本の養蜂の現場から姿を消しました。わずかに、伝統的で粗放的な飼育のみが、平安時代からほとんど変わらない方法で、主に山間部で細々と行なわれてきただけです。

○

現在でも日本ミツバチの巣箱や飼い方は全国で幾通りもあります。しかしその多くが、巣が充実して貯蜜量が多くなると蜂の生活を無視して巣をつぶし採蜜するやり方です。巣がなくなった日本ミツバチが、そこから再起、造巣するのはたいへんな負担です。またこれらのやり方は巣の中が直接観察できないので、巣内の生態認識や病気や異変を知ったり、その解決方法を探したりすることは非常に困難でした。加えて長距離の移動は、ほぼ無理な形態のままだったのです。

私はそうした問題がどうしたら解決できるか、かれこれ二〇年以上ずっと考えてきました。そして、飼育箱などの試作を繰り返し行ない、管理技術を模索してきました。ようやく完成させたのが、本書で紹介する「現代式（巣枠式）縦型巣箱」です。

これは西洋ミツバチ用の横型巣箱の長辺を半分にしたような小さめの巣箱で、蜂群が大きく成長する場合は、上に二段、三段と同様の箱を重ねていくことができます。この中に、専用の可動式巣枠（自然巣や人工巣礎《すそ》、人工巣を適宜装着）を組み合わせることで、巣も蜂群も傷めずに、遠心分離器にかけて必要部分のみ随時採蜜することができるようになりました。

箱の底の面積や内容積が狭いので、日本ミツバチ自身による掃除・適温保持など巣の管理もしやすいし、下の段で産卵・育児をさせ、上の段で蜜を貯めさせるという立体構造（ちょうど、日本ミツバチが好んで巣をつくる木の洞に近い）をつくりやすいのも特徴です。この飼育箱によって日本ミツバチの年間採蜜量はグンと増え（二〜三倍）、難しいといわれてきた花別の採蜜もだいぶ可能になりました。その上、女性や子ども、高齢者にも扱いやすい機能と大きさ、軽さにできました。

本書ではこうした新しい巣箱を使った日本ミツバチ飼育のノウハウを、どんな人にも充分わかるよう具体的に書いたつもりです。ぜひ目を通していただき、日本ミツバチを飼うことの楽しさ、豊かさ、そして自然を大事に思う気持ちを養っていっていただければと思います。

一緒に日本ミツバチがいる生活を楽しみ、大自然に通じる扉を開けていきましょう。

二〇一〇年四月

著者

現代式縦型巣箱でらくらく採蜜
だれでも飼える日本ミツバチ

もくじ

Ⅴ 現代式縦型巣箱で飼う日本ミツバチ ―四季の飼育管理 ―― 91

Ⅰ章

だれでも楽しめる日本ミツバチ

―現代的養蜂の時代

1 西洋ミツバチにないその魅力

1-1　ノウゼンカズラにきた日本ミツバチ

いま、日本ミツバチが注目されている（写真1―1）。それには、世界中で大問題になっているミツバチの大量失踪・突然死が日本ミツバチでは起こりにくいこと、総じて病害虫に強いこと、あるいはその蜂蜜が西洋ミツバチにはない味わいをもっていること、さらには自然志向の風潮も手伝って、日本列島の自然とともに生きてきた在来種への共感も働いているようである。

たしかに、同じミツバチでも西洋ミツバチと日本ミツバチとでは、習性や性格がまるで違う。筆者は、サルと人ほどの違いがあると思っているが、その違いを弱点としてではなく、個性として明確に理解しないと、日本ミツバチの正しい再評価にはつながらないと考えている。

日本ミツバチの個性（特徴）について、飼育装置・管理技術にかかわる習性・性格に関わるものはⅡ章でふれよう。ここではまず、日本ミツバチを飼いたくなる動機の一つ、その蜂蜜の魅力について見ていきたい。

蜂蜜の深い味わい

西洋ミツバチの蜂蜜は、甘みが強く花の時期ごとに量産が可能で、甘味料としてはまことに優秀である。祖先はアフリカの草原、サバンナや地中海沿岸の生まれといわれ、乾燥地帯ではヒースやラベンダーなどの蜜を単一的によく集めるので、蜂蜜はストレートにハーブの香りがするものも多い。

深みのある味が特徴の蜂蜜

1-2a　花蜜は、貯蔵係の働き蜂に口移しされて巣房に蓄えられる

1-2b　甘み以外に酸味や複雑な香りもあって、古酒のような味わいも（撮影・藤原養蜂場）

いっぽう、日本ミツバチの蜂蜜は、甘み以外に酸味や複雑な香りもあって、古酒のような味わいが感じられる。外勤の働き蜂が集めてきた花蜜は、貯蔵係の働き蜂に口移しされて巣房に蓄えられる。貯蔵係はその後も口から出し入れを繰り返して、蜜中の水分を蒸発させて濃縮する。同時に、唾液中の酵素によって花蜜のショ糖がグルコースなどに変えられ、さらに有機酸も生成して、保存・貯蔵性の高い蜂蜜がつくられる（写真1―2a、b）。

この花蜜から蜂蜜への工程は、西洋ミツバチでもほぼ同様であるが、日本ミツバチでは酵素の作用が強く、それが蜂蜜の成分や味にだいぶ影響しているのだろう。同じソメイヨシノの花蜜からのものでも、西洋ミツバチの蜜とは違った、深みのある味わいがある。

地域個性の豊かな蜂蜜が採れる

西洋ミツバチの蜂蜜は場所が変わっても、同時期に、一定以上同じ花の種類が開花しているときは大筋で同じ味がする。

現在の西洋ミツバチは、ヨーロッパで長い年月かけて集蜜力の高いものが選抜され、改良が重ねられてきた。長

日本ミツバチが好む花

1-3② シロツメクサ（撮影・山本なお子）

1-3① ケンポナシ

1-3③ フクジュソウ

1-3④ ヤブガラシ（撮影・山本なお子）

図 1-1 日本ミツバチの訪花カレンダー（例）

	1月	2月	3月	4月	5月	6月	7月	8月	9月	10月	11月	12月
畑・街路		ウメ	モモ ナタネ	ミカン レンゲ	リンゴ	クリ	カボチャ ヒマワリ	サルビア	ソバ コスモス マツバボタン	チャ		ビワ サザンカ
野山	ツバキ	ヤナギ	タンポポ	サクラ	エゴ トチ ニセアカシア	キハダ ソヨゴ	サルスベリ	ヤブガラシ	ヤマハギ アレチウリ		ヤツデ セイタカアワダチソウ	

い距離（三～四㎞くらい）を行動範囲とし、蜜がたくさん採れる開花群落を選ぶと、そこへまっしぐらに集団飛来して大量の蜜を集める。そのためにサクラの季節ならサクラの蜜、ニセアカシアの季節ならニセアカシアの蜜というように均一な味わいになり、また効率的でもある。さらに近代的採蜜技術や飼育技術も総合されることで、一年間の一群当たりの蜂蜜生産量は日本ミツバチの五～一〇倍になることもある。

それに対して、日本ミツバチの蜂蜜は、狭い地域で、あるいは峠一つ越えるだけでも味が変わる、というおもしろみがある。地域ごとに野生植物、栽培植物がたくさんあって、しかも西洋ミツバチの約半分の飛翔（距離）ということも関係しているだろう。

主に草原出身の西洋ミツバチが一種類の大量蜜源に向かって直線直行するのに対して、祖先がアジアの森林生まれの日本ミツバチは、木々の間をぬってジグザグ飛行するのが得意だ。範囲は一、二㎞と狭いが、集団行動よりも単独行動による訪花が多いようで、いろいろな樹木・草花からこまめに蜜、花粉を集めてくる（図1―1「日本ミツバチの訪花カレンダー」）。

里山や都会の自然を活かす名手

とくに、キハダ、ハゼ、アワブキ、トチ、さらにはヤブガラシやアレチウリなどなど、花びらがごく小さい花の蜜も好んで集める（写真1―3①～④）。

われわれ人間から見ると花とはいえないような草木も、日本ミツバチの目線で見ると大事な蜜源植物である。たとえばヤブガラシは、こんなにおいしい蜂蜜があったかと思うほど美味である。

キハダもハゼもトチも、かつては人の暮らしを支えた里山植物だった。日本ミツバチは大昔からそのような里山と田園の多彩な樹木・草花を、大事に訪ねて、受粉を助け、自分たちの食料や育児、巣づくりに活かしてきた。われわれ人間よりはるかに共存的生活をしてきたといえる。

それはともかく、日本ミツバチの蜂蜜の地域固有な味わいは、その土地の里山・田園の植物相のもたらす個性である。これからの時代に、農村でも都会でも、多様な生物が共生する豊かな地域づくりのシンボルとして味わい楽しみ、販売し、「わが地域」を強くアピールできるのが日本ミツバチの蜂蜜といえるだろう。

2 西洋ミツバチと日本ミツバチ

草原生まれの改造種と森林生まれの在来原種

以上のように、西洋ミツバチは「総じて乾燥草原生まれのうえ、人為的に貯蜜能力を高められた改造種」、日本ミツバチは「森林生まれで、自然とともに暮らす在来原種」であることを、覚えておいていただきたい。これは本書で述べる飼育装置と管理技術全般に関わることでもある。

つまり、西洋ミツバチは人間のほうを向いているのに対して、日本ミツバチは自然のほうを向いている、くらいに考えたほうがいい。

また、西洋ミツバチは改造された結果、どんな群れでも性質が似かよっているクローン型である。

日本ミツバチは、おとなしさ、移住性、神経質さ、それらの結果としての飼いやすさ・飼いにくさなどに、群れによる能力・性格の変異が大きい。いわゆる多様性を保持しているといえる。これも、「改造種」と「在来原種」の違いであろう（写真1―4①、②）。

飼うのでなく、居ていただく

在来原種である日本ミツバチの飼育では、しばしば突然に群れごと巣を飛び出していなくなる「逃去《とうきょ》」が問題になる。しかしこれは、逃げるということではなく、居心地が悪くなると気軽に移動するとか、この季節はあっちによりよい食料が豊富だとか、気ままな

日本ミツバチと西洋ミツバチ

1-4① 西洋ミツバチ

1-4② 日本ミツバチ

遊牧民的「森の自由な住人」の習性といえる。

西洋ミツバチが、環境が悪くてもそこに永住しようとし、餓死・破滅してまでも出て行かないというのとは大きな違いである。

だから、日本ミツバチには「ここが一番いい場所だ」と思わせること、「飼っている」のでなく「居ていただく」という気持ちで、巣箱内外の環境を整えてやることが基本だ。日本ミツバチの同じ群れを何年も飼い続けられる人は、蜂にも自然にもやさしい人といえるかもしれない。

3 日本ミツバチにやさしい現代養蜂の幕開け

西洋ミツバチの技術のままでは劣等生

さて、これまで日本の養蜂産業で、日本ミツバチの魅力が発揮されず、重要性を感じられず消滅の危機のときまであったのは、「森の自由な住人」の生態の理解と、それに適した飼育装置、そして管理技術がなかったからである。

明治以来、近代養蜂が産業として発展したのは、ひとえに西洋ミツバチによってである。それは、基本的な飼育装置である横型巣箱と可動式巣枠（「ラングストロース式」という）が世界的にほぼ統一され互換性ももつようになり、日常観察とそれにもとづく適切な管理、および遠心分離器による適期採蜜を可能にして、収量と生産効率を飛躍的に高めたからである。巣と蜂群を破壊することなく再生・維持し、年々増群していくことも近代養蜂として欠かせない要素であるが、それも横型巣箱と可動式巣枠使用によって可能だったのである。

ところが、これら飼育装置と管理技術は西洋ミツバチの習性や性質にもとづいてつくられてきたもので、日本ミツバチにそのまま適用すると、やがてスムシなどの被害による蜂群の劣勢化や巣づくりの弱体化など多くの不具合により、突然の逃去《とうきょ》などが頻繁に起こる。そのために、日本ミツバチは飼いにくい、採蜜量が少ない、すぐに逃げ出すので産業には向かないといったあらぬレッテルが貼られてきた。

そうして日本ミツバチ飼育は多くの場合、産業としての養蜂の道をたどらずに、伝統的な丸太飼いなどによる趣味的な飼育にとどまってきた。一シーズン飼って蜂蜜を貯めさせて、夏か秋に一回、ミツバチを追い出し、巣を破壊して蜂蜜を搾るという飼い方が主流で、これではもともと神経質な蜂群を再生し、増勢することは難しい。縮小再生産である。またこれらの方法だと採蜜量は多くて一群一〇kg程度にすぎず、西洋ミツバチが年に五～一〇回搾って五〇kg、八〇kg採るのには遠く及ばない。

どこでもだれでも飼える縦型巣箱ができた

つまり、西洋ミツバチでは習性・性質に適した飼育装置、すなわちハード（横型巣箱と可動式巣枠）が開発され、それを使った管理技術、すなわちソフトが早くにできていた。ミツバチ飼育にとってハードとソフトは表裏一体であるが、日本ミツバチには、産業的養蜂に適したハードもソフトも不完全だった。

ハード・ソフトというからには、全国どこでも互換性がある、つまり共通的尺度で情報交換できるものでなければならない。ところが、日本ミツバチを主体として飼う養蜂家でも、科学的検証はなく、人によって飼育装置はまちまちで、共通の尺度による情報交換や指導もされなかったことが、現在まで産業的発展を阻んできた。

しかし、日本ミツバチに心を寄せる養蜂家や研究家が、とくに「日本在来種みつばちの会」の活動を通じて飼育や採蜜に関わる習性・性質の解明を進めてきている。それらの情報も駆使し、仲間と協力し、筆者は二〇年以上にわたって日本ミツバチ専用の飼育装置の試作・試行を続け、管理技術を模索してきた。そして最近、大もとをほぼ完成させることができた。その基本の飼育装置は「現代式縦型巣箱」と専用の可動式巣枠、専用巣礎《すそ》、人工巣である。詳しくはこのあとⅢ章で紹介するが、この装置はミツバチ自身にやさしく、各種植物の受粉にも効果的で、しかも巣と蜂群を再生・増勢しながら採蜜成績を高める持続的・拡大再生産のシステムであることから、「現代型エコロジー巣箱」とも呼べるかもしれない。

木の洞の快適さを取り込む

「森の自由な住人」日本ミツバチが好んですんできたのは、森の大木の洞《うろ》である。そこは、風や光が強く当たらず、厚い木質に包まれて気温変化が穏やかで働き蜂による温度調節がしやすいこと（エネルギー消費が少ない）、巣は洞の底からずっと離れて天井部につくるため、底にたまるごみや、その中に潜む害虫から巣の衛生を保てること、木の上部だと外敵に襲われにくいことなど好ましい条件を備えている（写真1―5）。

1-5　木の洞につくられた日本ミツバチの巣

この条件をもっとも兼ね備えているのは従来からの丸太巣箱であるが、すでに述べたようにこれは産業的養蜂の装置としてはまったく無理がある。そこで、産業としても有利でありながら森の木の洞のよい条件を取り入れ、かつ長く「居ていただく」ことができるように設計したのが、「現代式縦型巣箱」（写真1―6）である。

これは、西洋ミツバチ用の横型巣箱の長辺をちょうど半分にした正方形に近い巣箱で、蜂群が大きく成長する場合には、上に二段、三段と同様の箱を重ねていく。一つの箱の容積が狭いので、日本ミツバチ自身による掃除・適温保持など巣の管理がしやすい。また、下の段で産卵・育児をさせ、上の段で蜜を貯めさせるという立体構造をつくりやすいことが特徴である。

この立体構造に、専用の可動式巣枠（自然巣や巣礎、人工巣脾《すひ》を適宜装着できる）を組み合わせることで、巣と蜂群を傷めずに、随時遠心分離器にかけて必要時に必要部分のみ採蜜することができる。

1-6　木の洞の環境も取り込んだ**現代式縦型巣箱**

採蜜成績向上、花別採蜜も

このシステムにより年間採蜜量が、岩手県など寒冷地でも二～六回搾りで二〇kg以上可能になる。南の温暖地で冬でも開花のある地域ではもっと多く、たとえば東京都心の銀座で一年をとおして試みに六回搾り、二八kg採蜜した記録もある（給餌なしで）。

さらにこのシステムで期待できることは、花別の採蜜がある程度できることである。

これまで日本ミツバチは夏や秋一度きりの採蜜のため、「雑蜜だ」というのがプロの養蜂家の口癖であった。それを「百花蜜」と呼んでイメージを変える努力をしてはいたが、必ずしも冒頭で述べたような日本ミツバチの蜜の魅力を充分に表わすことにはつながっていなかった。

強い酵素の働きによる深い味わい、地域個性のある味、これだけでもすごいことであるが、日本ミツバチの得意とする多彩な花からの集蜜とあわせて、ある程度限定的な花別の採蜜が可能になれば、さらに用途も広まるだろう。

サクラの時期にまず一回、次にリンゴ、その次にトチ、夏にはボダイジュ、東京だとモチノキ、九州だとミカンといったように地域でターゲットを決めて花ごとに少なくとも一回ずつは搾れる。それも、巣枠の片面だけ搾るか、一枚おきに搾るかなど蜂群の負担にならないように採蜜することができるのである。

1-7　都心の屋上での日本ミツバチ飼育例（社会文化会館にて。撮影・藤原養蜂場）

1-8　現代式縦型巣箱での採蜜の様子
サクラの時期に１回目の採蜜ができる（東京）

ミツバチと人と自然の共存社会に向かって

いま、都会の中でも日本ミツバチは野生でかなり生息している。しかし、人間の管理がないので分封《ぶんぽう》や逃去が無秩序に起こり、快適なすみかが探せず、街中の人目につくところに出てくるために危険な「害虫」として殺虫される。日本ミツバチは押しつぶされるとか、髪の毛に入って身動きができなくなるなどよほどのことがない限り、人を襲い、刺すことはないのにである。

日本ミツバチにやさしい飼育システムが確立されることによって、蜂がずっとすみ続けられる再生的で秩序ある養蜂に変わっていくと、大都会のまんなかで人びとの暮らしと共存して、街路樹・公園などの豊富な花蜜・花粉資源を活かしたミツバチ飼育も可能になるだろう（写真1—7）。

人びとの間に、日本ミツバチへの理解と共感が広がり、人びとがより精神的な幸福を享受でき、現代的な産業養蜂の前進とあいまって、ミツバチが元気に働ける自然環境をつくることへの機運が高まっていくことが期待される。

8の字ダンス

ミツバチの8の字ダンスについては、ご存知の方も多いだろう。朝、偵察に出たフロンティアミツバチ（偵察蜂）が戻ってくると、「蜜があったよ」ということを仲間に知らせるために巣の中で踊り始める。真上に踊れば、太陽の方向に飛んでいくと蜜がある、右四五度なら、太陽に対して右四五度方向にあることを示している。距離は回るスピードに表わされ、早く回れば近く、ゆっくり回ると遠くに、激しく踊ると蜜量の多い蜜源があることを表わす。また、知らせるのは蜜だけでなく花粉や水の場合もある。「そのときに魅力ある必要なもの」ということであろう。

初めは数匹から、そのうち周りの働き蜂が踊り出し、みんなが知るところとなるが、忘れてならないのは、これが巣箱の暗がりの中で行なわれるという点である。見て動くのでなく、振動やにおいを感じて行動すると思われる。

西洋ミツバチの場合は研究が進み、めざす場所が一〇〇m以内の近い場所のときは、踊りは円を描くのみで8の字にならない。たぶん、近くだよ！ 程度の知らせである。この円踊りを覚えた働き蜂は四方八方に探しに行く。窓を開けていてミツバチが入ってくるのは、こんないきさつでミツバチがあちこち探しているときなのである。

Ⅱ章 日本ミツバチの群れと巣、行動

女王蜂とオス蜂

2-1　**女王蜂**　**からだ**が大きく黒っぽい（こげ茶色）。周りの働き蜂は夏型

2-2　**オス蜂**　眼が大きく体色は黒っぽい

1 日本ミツバチの一家、それぞれの仕事

群れに君臨する女王蜂

日本ミツバチの一つの群れでは、一匹の女王蜂を中心に、数千から二、三万匹の働き蜂が活動している。

女王蜂（写真2―1）の仕事はもっぱら産卵である。複数匹（一〇匹程度）のオス蜂（写真2―2）との空中交尾を終えた女王蜂は貯精のうにたくさんの精子を蓄えていて、最盛期には一日に一〇〇〇個以上もの受精卵を産み、これが成長して働き蜂になる。分封のときには、「王台《おうだい》」（31ページ）という特別の巣房が用意され、ここに産みつけられた受精卵から新しい女王蜂が育てられる。卵から成虫になる期間は、おおまかに働き蜂が卵で三日、幼虫で五・五日、蛹で一一・五日、合計二〇日である。オスは蛹の期間が少し長くて二四日かかる。女王蜂の蛹の期間は七日間で、合計一五日間くらい。

女王蜂の寿命は自然状態で二〜三年である。

オス蜂は、ふつう繁殖時期などに交尾のためだけに数百からときには一〇〇〇匹以上出現する。女王蜂が大きめの巣房には無精卵を産み、これを働き蜂が世話するとオス蜂が育つ。オス蜂は大木の樹上高く飛び上がり、群れ集まる。そこに女王蜂がやってきて交尾に成功すると役目を終え、そのまま空で即死してしまう。交尾することなく巣に戻ったオスは、花蜜が減る餌不足の季節になると今度は冷遇され、

働き蜂の成長と仕事

2-3② 巣内で貯蜜や育児にあたる**働き蜂（冬型）**

2-3① **羽化したばかりの働き蜂** 産毛で覆われている

一家から追放され、のたれ死ぬ。そういう意味でミツバチ社会は女系社会である。

働き蜂の多彩な働き、記憶力

働き蜂の寿命は成虫になって二〇〜三〇日である。働き蜂は、その間にじつにたくさんの仕事をこなす。

まず、そのからだを見ると、25ページ写真①のように花蜜を蓄えて運ぶ蜜《みつ》胃《い》、花粉を団子にして運ぶ両後足にある花粉かご、花蜜を分解する酵素を分泌する下咽頭腺《かいんとうせん》など、働き蜂としての特別の器官をもっている。また、女王蜂用の完全栄養食品ローヤルゼリーは、働き蜂が蜂蜜にタンパク質や脂肪酸を加えて体内でつくるが、これらを分泌する器官が若い働き蜂で発達している。

羽化して間もない働き蜂（写真2―3①）は産毛をいっぱい持ち、からだはやわらかく、羽根も短く飛行はほとんどできない。生まれてまもなく若い働き蜂は順次、主に加齢によって巣の掃除、蜜の貯蔵や分解・濃縮（写真2―3②）、花粉の貯蔵、幼虫の餌づくりと給餌、巣づくり、換気・保温・加温などの空調、さらに外敵に対する見張りといった「内勤」に適宜精を出す。

内勤蜂の給餌活動を見ると、働き蜂の幼虫には、最初の三日間は女王蜂と同様の乳状の食料（ローヤルゼリー）を与え、その後は炭水化物のかたまりである蜂蜜と、タンパク質・ミネラルの供給源である花粉を混ぜてドロ状にしたものを口移しで与える。女王蜂の幼虫には、ローヤルゼリーのみ与えられる。

空調活動は、巣内を卵・蜂児の適温三四℃を保つように、寒いときはみんなでかたまりをつくって囲み、その発熱によって温める。暑いときや空気が汚れたときには入り口から内部まで並んで羽で風を送って換気し、猛暑時には蜜胃に入れて水を運んできて散布し、羽であおって気化熱で冷却するといった、渾身の快適環境づくりが必要に応じて行なわれる。

羽化後二週間ぐらいたった働き蜂は蜜や花粉集め、水運びなど「外勤」に励みだす（写真2―4）。巣を出発するときには、往復飛行分のエネルギー源の蜂蜜をもらい、蜜胃に入れて飛び立つ。

2-4　巣の防衛、花粉採取・集蜜・給水にあたる**外勤の働き蜂**

日本ミツバチの体重は約〇・〇六g。小さいからだで、一度に〇・〇三gもの花蜜を蜜胃に蓄えて戻ってくる。距離にもよるが、これを一日に二〇〜三〇回くらい繰り返す。すごい働きぶりである。

よい蜜源を発見した蜂は帰巣したとき、場合にもよるが「8の字ダンス」によってその方角、距離、蜜量や種類を伝える（20ページ参照）。この情報から場所を選ぶことによって集団による効果的集蜜ができる。このような情報伝達や記憶力は、働き蜂の優れた能力である。日本ミツバチは、8の字ダンス以外に、蜜のにおいに敏感に反応して単独行動でも集蜜する性質が強い。I章で述べた、こまめに多彩な花の蜜を集めるという日本ミツバチの特性は、そこからきている。

ミツバチのからだ

大あごのキバ（働き蜂）●ふつう花粉をかじったり、掃除などのために使う。においが違うほかの群れの蜂や、異変を起こした蜂が入ろうとすると門番がこのキバでかじる。仲間についたダニもこれで取り除く。女王蜂は、ほかの女王蜂にかみつくためだけにキバがある。

後ろ足の一本の毛●花粉がついてそこから花粉団子をつくっていく。これがないと花粉団子がつくれない。

前足●味がわかるセンサー。また幅を計る。女王蜂は前足で巣房の径の幅を計って有精卵と無精卵を産み分けるといわれている（さらに働き蜂は自らのからだを定規のように使って六角形の巣房をつくる）。

触覚（ひげ）●ヒトの鼻の穴を裏返したような構造で、主に空中の揮発性の成分を探す。触覚で目的のにおいをキャッチするとさらに濃いにおいの出所を探すというふうにして、蜜源にたどりつく。フロンティアミツバチは早朝に触覚と目を使って「本日の蜜源」を探し、巣に戻ると8の字ダンスを踊って仲間に知らせる。数日前までの記憶も一部利用しているといわれる。

目●コントラストの強い色の違いや形の違いを認識する。たとえば、平坦な地形の中の鎮守の森のような濃く盛り上がっているところを選んで、その上空で交尾することが多い。日本ミツバチはこうした緑の上を道にして飛ぶことが多い。水面がキラキラと反射する中ではくっきり見える橋の上を好んで飛んで、川を渡るともいわれている。

羽●上羽二枚・下羽二枚の計四枚。二枚ならアブやハエの仲間になる。ただしアブの中にはヒラタアブのようにミツバチに極似したものもいる（擬態と呼ぶ）。

写真①　**日本ミツバチのからだ**
下咽頭腺：若い働き蜂では、ローヤルゼリーをつくるタンパク質の一部を分泌。蜜を集めるようになった働き蜂では、ショ糖を分解する酵素を出すように変化する
蜜胃：花蜜を運ぶとき一時的にためる場所
大アゴ腺：特殊な脂肪酸を出して、ローヤルゼリーの一成分にする
花粉かご：集めた花粉を付着させて運ぶ
蝋腺：蜜蝋の分泌腺（横腹から腹にかけて）

西洋ミツバチと比べて日本ミツバチは繊細でおびえやすいので、西洋ミツバチを飼ったことがある人は扱い方の違いをよくわかって飼う必要がある。逆に日本ミツバチの飼育法を身につけてから西洋ミツバチを飼うと育てやすい面もある。

小さく黒っぽい外観●日本ミツバチはからだが西洋ミツバチに比べてふつう少し小さい。色は黒っぽいが夏になるとその色が薄くなり、西洋ミツバチに近くなる。両種を近い場所で飼うと夏は間違いやすいが、背中側の点線で判別する（写真②）。また、日本ミツバチは小羽の先の脈がHの字に、西洋ミツバチはYの字に見えるので区別で

西洋ミツバチとの違い

写真②　**腹部の縞の違い**
左が日本ミツバチ。多くの場合、背部中央に黒い点線が走る

小羽の先の模様の違い

日本ミツバチはH（上）、西洋ミツバチはY（下）に

写真③ a

写真③ b

きる（写真③a、b）。

　なお、色の決定は蛹の間、温度差を感知し、寒い時期には黒色化する。

おとなしいが気難しい一面も●日本ミツバチは通常おとなしいが、西洋ミツバチに比較し神経質で、環境にあわないと逃去しやすい。日本ミツバチは気温が八〜一〇℃でも花粉を集めてくるが、西洋ミツバチは一一℃が分岐点である。また日本ミツバチは嗅覚が鋭く、西洋ミツバチに比べると農薬がかかったところは避けるらしい。

分封群がつく場所●太い枝分かれした比較的フラットなところにつくのが日本ミツバチで、西洋ミツバチは枝先の葉を取り込むようにつく。また、日本ミツバチは分封群を呼び込むときにキンリョウヘン（金稜辺、ランの一種、Ⅳ章66ページ）が有効。西洋ミツバチではまったく効果がない。

単一多量と多種少量（蜜の違い）●日本ミツバチはアジア一帯に生息する東洋ミツバチの亜種。日本には氷河期に陸伝いにやって来たといわれ、青森まで分布している。西洋ミツバチの祖先のアフリカミツバチは雨季と乾季がある地域で発達したので、雨季にいっせいに咲く花から蜜を集め、それを貯蜜し乾季に食べながらしのぐ。一つの花が咲き終わるまで通い続け、蜜をためる性質が強いので、単花蜂蜜になりがちである（訪花の一定性）。

　いっぽう、東洋ミツバチの祖先は熱帯アジアのジャングル育ち。花はいつもどこかに咲いているようなものなので、いろいろな花から蜜を集めて飛距離も少ない。そのためか貯蜜量も西洋ミツバチより少なくてよかったようで、日本ミツバチの蜂蜜総生産量も西洋ミツバチの五分の一から二分の一程度。

　ところで、暑い地域のミツバチはあまりどっしりと貯蜜しないが、寒地のミツバチは木の洞にすみ、冬期間蜂蜜を消費しながら生きながらえるために貯蜜性が高い。雪国や標高が高いヒマラヤ・中国・インドの辺境にすむ東洋ミツバチの種類では（系統では）貯蜜性が一般の西洋ミツバチ以上に高いこともある。また、暖かい平地にすんでいる東洋ミツバチはよく分封する、といわれる。同じ東洋ミツバチでもそれぞれ暮らしてきた地域の気候風土にあわせ生きる術を身につけている。だから、いくら日本ミツバチと近い種類といっても海外の東洋ミツバチを持ってきて交配させるなどは禁物（日本ミツバチのDNAは全国的にほぼ同じといわれている）。

　ちなみに、西洋ミツバチを日本ミツバチに交配させてみても、受精卵が四分割から先には進まない。子孫ができないほど種類が異なっているということであろう。

　そのほか、日本ミツバチはプロポリスを集めず、すき間をうめたり巣脾を固定するのにも蜜蝋を使う、ローヤルゼリーの量が一般に少ない、寒さに強く、とくに蜂球の中は幼虫や蛹のいる間は三四℃に保つ、高湿度にも比較的強く、ポリネーション（受粉）にも向いているなどの特徴がある。

2 日本ミツバチの巣

半球状であることの意味

日本ミツバチの一家の住居の仕組みを自然巣で見ていこう（写真2―5）。

2-5 リンゴ箱につくられた**自然巣**（巣脾が何枚か重なって一つの巣となっている）

通常、天井部からぶら下がった半球形のひとかたまりに見えるが、中は何枚もの巣脾《すひ》が垂直方向にほぼ平行して並んでいる。女王蜂は巣脾の中央部の巣房の中心あたり（巣穴）から卵を産みだし、そこから周辺部や下方へと産み進んでいく。そのため、巣脾の中心と下側が育児圏となり、卵、ふ化したばかりの幼虫、大きく育った幼虫、蛹まで、発育の各段階が見られる（図2―1）。蛹のふたは黄色味がかったツヤ消し状の色をしている。

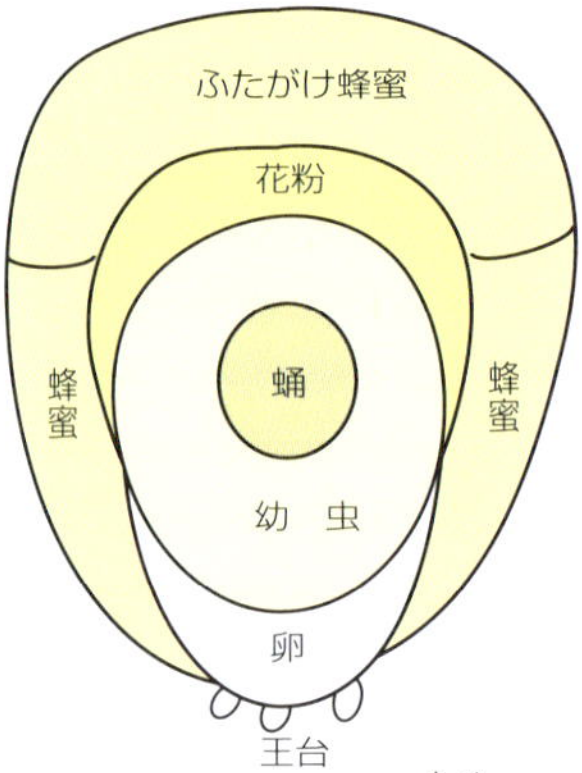

図 2-1　日本ミツバチの巣脾《すひ》の構造
（横から見た模式図）

いっぽう、巣脾の上部や外周部は主に蜜や花粉が蓄えられる貯蜜・花粉圏である。集められた花蜜（主にショ糖）が分解・濃縮されて保存性の高い蜂蜜（ブドウ糖、果糖、グルコン酸）に変わると、その巣房には蜜ぶたがかけられる。こちらのふたは白っぽく、半透明で、少しツヤのある色をしている（写真2―6①、②）。

産卵・育児と貯蜜が盛んに行なわれて群れが大きくなるとき、漸次、巣脾が両側や下方に次々と増えていく。周辺部の新しい巣脾の面積は外側のものほど小さくなるので、全体が一つの半

巣脾（人工）の貯蜜、産卵、育児の状態

2-6 ①　中央から左上部にかけて透明な巣房が蜜、黄色い巣房が花粉、白っぽいふたがけは濃縮された蜜。右下部に成長各段階の幼虫が見える。黄色っぽいふたがけは蛹

2-6 ②
細いバナナ型をしているのが卵

球状をなし、たくさんの日本ミツバチがギッシリついた状態は黒っぽい半球そのものに見える。

球形は、表面積が小さくて熱だまりがよい。とくに最小の表面積であることが重要で、極寒時には日本ミツバチは蜂だけで最下部に球状に集合することもある。ともあれ、暖気が集まりやすい上部に蜜があって熱でやわらかくなりやすいことは、寒期の摂食、早春の蜂児の育児にとても好条件だ。

快適で合理的な省エネ・エコシステム

このような半球状であることの合理性に、前記のような蜂自身による保温・加温、あるいは冷房といった空調システムが加わって、日本ミツバチの巣は快適環境が維持され、外敵からも保護される。

そして、ここで注意したいのは、西洋ミツバチでは巣箱内空間全体を温めたり冷房したりする性質があるのに対し、日本ミツバチは育児圏を中心にした群れのかたまり部分を主体に温めたり冷やしたりするという違いがあることだ。西洋ミツバチは比較的に全館集中エアコンで、日本ミツバチはコタツのような部分暖冷房方式、まさしく「エコハウス」なのである。

越冬のとき、「乾燥草原生まれの改造種」西洋ミツバチは最低でも横型巣枠五枚くらい、蜂数にして一万匹くらいいないと冬が過ごしづらい。巣箱全体を温めるのに充分な発熱ができないからだ。また、夏にはどんどん水をまいて送風する。このため、夏も冬も大量のエネルギー＝蜂蜜を消費する。西洋ミツバチはこのような暖冷房の仕事も集蜜の仕事も身を犠牲にしてまで続ける性質がある。冬に餓死が多く、また夏や秋に餌不足になると他の群れを襲って蜜を奪う「盗蜂」を集団で起こしやすいのもこのためである。

「森林生まれの在来原種」の日本ミツバチのほうは省エネシステムであり、一〇〇〇匹くらいのごく小さな群れでも、女王蜂さえ健全なら冬越し可能である。ただ、寒さには西洋ミツバチよりも強いが、森の中のように省エネ生活に適した温度変化のゆるやかなところを好む。

日本ミツバチには、西洋ミツバチ用の広い横型巣箱と横長の長方形巣板より、容積半分の縦型巣箱と正方形の巣脾があっているのは、球状の自然巣に近い巣づくりができ、その独特な省エネ・エコシステムがよりよく発揮できるからと思われる。

また、西洋ミツバチの横型巣箱では巣脾をミツバチの出入り口と平行につくる。風通しのよい配置だ。いっぽう、日本ミツバチの自然巣では、巣脾は木の洞の入り口に対して横向きに近い斜めにつくられることが多い。寒風の直撃を避け、せっかく温まっている群れのかたまりを冷やさないためだと思われる。日本ミツバチ専用の縦型巣箱はこれに倣《なら》い、合理性も勘案して、可動式巣枠は出入り口に対して直角方向に向ける設計としている。

巣房サイズの役割
―雌雄の産み分け、育児の設計図

巣脾上に整然と並ぶ六角形の巣房上は、成虫がすみ、女王蜂が産卵して働き蜂が蜂児を育てると同時に、蜂蜜・花粉をためる基本スペースである。この巣房の六角形をハニカム構造といい、壁は薄くても非常に強度がある。

人類ですらこれを模倣してスペースシャトルにはハニカム構造が採用されているほどである。

　つくられたばかりの巣房はやわらかく色は白いが、産卵・育児を繰り返すにつれて、蛹になるときに吐き出す絹糸などによって強化され、色も茶色になっていく。

2-7　王台（次世代の女王蜂の子供が育つ部屋）　巣脾の下端につくられる

　巣房の大きさは、日本ミツバチでは直径（六角形の辺間の距離）約四・八㎜、西洋ミツバチでは約五・三㎜である（しかしミツバチではある程度まで巣の大きさにあわせてからだがつくられるため、巣房が大きいとからだも大きめとなる）。繁殖のためにオス蜂をつくろうというときには、巣づくり担当の働き蜂はサイズの一回り大きい巣房をつくる。女王蜂は、この大きめの巣房を反射的に区別して無精卵（雄になる卵）を産む。巣房のサイズは、雌雄産み分けと育児の設計図の役割も果たしているわけである。

　巣房は巣脾の両側に対称的に、ほぼ水平の向きにつくられる。しかし巣脾の下端の巣房は下向き傾向となる。分封時などに女王蜂が育つ巣房「王台《おうだい》」は、西洋ミツバチでは巣脾上のどこの場所にもつくられやすいが、日本ミツバチではほぼ下端につくられるので、王台の確認や観察にとっては非常に好都合である（写真2―7）。

日本ミツバチ飼育で大切なビースペース

　たくさんの働き蜂は、隣り合った巣脾と巣脾のすき間でさまざまな仕事をし、また移動している。このすき間を「ビースペース」といい、日本ミツバチの育児巣房ではその間隔が約八㎜で、どの場所でもそれが同じ間隔になっている。西洋ミツバチは比較的大ざっぱで、日本ミツバチよりからだも大きいので、間隔はこれより広いほうがよい。そのため、横型巣箱用の可動式巣枠は、自距《じきょ》金具という調節突起（Ⅲ章42ページ参照）で約一〇㎜と広めになるよう設計されている。そのうえ、

2-8　**ビースペース**　広すぎて巣がふくらんだ例

さらに巣枠を広げられて使われることが多い。

しかし、これをそのまま日本ミツバチに使ったり、「狭いと蜂がすれてかわいそうだ」と広めに巣脾の間隔を空けたりすると、巣房が二重につくられるなどして盛り上がり、至るところに凸凹ができる（写真2—8）。すると、観察や管理で巣枠を出し入れするとき、そのふくらみで蜂をこすってつぶしてしまう。ときには産卵中の女王蜂を傷つけたり、閉じ込めてしまったりすることもある。女王蜂や働き蜂の事故は、群れの落ち着きや秩序を失わせ、混乱に陥れて、逃去や群れ全体の崩壊の引き金にもなり得る。好適なビースペースの維持は、日本ミツバチにやさしい養蜂の基本である。

適当なビースペースの確保には、可動式巣枠の巣脾の中心部から隣り合う巣脾の中心部までの距離を三〜三・二五cmに保つことがもっとも大切である。

巣の材料、蜜蝋の機能性に注目

ミツバチの巣の材料は、働き蜂が腹部の蝋腺《ろうせん》から分泌するワックス、蜜蝋である。蜜蝋は働き蜂が自ら食べた蜂蜜を原料にして体内で合成される。一gの蜜蝋を出すには概算で一〇gの蜂蜜が必要だから、巣礎を巣内に導入して造巣させるのは一般的に群れの生活に余裕がでてからである。

巣房の中で蜜の乾燥が進むのは、働き蜂が口から出し入れしたり羽ばたいたりして水分を飛ばすことと、巣房壁がすき間のあるワックスのために水分を通すことによる。働き蜂は巣づくりのとき、蜜蝋をかんで巣壁の構造を粗くしているようだ。

また、同じように巣房のふたも、蜜房のふたと蛹房のふたでは材質が変わっている。蜜房のふたは水蒸気が出るのに都合のよい構造、蛹房のほうは呼吸のためさらに粗めで、空気が大量に出入りしやすい構造にしているらしい。

このようなきめ細かな働き蜂の営みがあって初めて、人間は蜂蜜や蜜蝋を利用させてもらえる。こうしたことにも気づき感謝して飼育にあたりたい。

なお、蜜蝋は、蜂が自分の巣であると判断するにおいなどのサインをもっている。巣箱の内側や巣枠、巣脾を固定する針金などに蜜蝋を塗っておくと、なじみやすくなる。

日本ミツバチの巣は、西洋ミツバチの巣に比べて少しやわらかくてもろい。西洋ミツバチはプロポリスを生産（主体は木の樹脂）して巣を強化しており、これがスムシ（ハチノスツヅリガ）の食害を防いでいるようだ。日本ミツバチはプロポリスを生産しないし、スムシへの抵抗性も弱い。このことが、スムシの繁殖と大被害を招きやすくしており、逃去などさまざまなトラブルの原因となっている。

現代式縦型巣箱で用いるプラスチック製の人工巣は、こうしたことも踏まえた開発をしている。

巣も蜂も、蜂蜜や花粉の産物
—餌不足に注意

ミツバチの巣は蜂蜜からの産物。また、卵・蜂児から働き蜂まですべてのミツバチは蜂蜜と花粉からの産物である。植物の開花が多く、蜂蜜をたくさん集められる五〜八月（東京周辺）までは、若い働き蜂の蝋腺からワックスが溢れ出る。蜂蜜さえ豊富なら巣づくりの材料にこと欠かない。

ところが、梅雨から夏以降、花蜜の流出が少ないと、育児用の蜂蜜と巣づくりのワックス用の蜂蜜と、集蜜飛行のエネルギー源としての蜂蜜との競合が起こる。こんなときに、無理して採蜜すると餌不足を招く。また、巣を切り取って、一から新たな巣づくり（集蜜—ワックス分泌）をさせるとなると、大きな負担をかけることになる。そして育児も止まる。

餌不足にしない適宜な給餌、ミツバチの負担にならない採蜜（適期、適量の採蜜）を心がけ、巣脾の枚数や巣箱段数の調節など管理をていねいに行なうことが大切である。現代式縦型巣箱とセットで開発した人工巣と専用巣礎《すそ》なら巣づくりの負担を減らし、堅牢で移動や採蜜時の破損がなく、また育児や集蜜活動に専念させることができる。

3 群れの拡大と危機

2-9　**分封した群れ**　いったん近くの木の太枝などに蜂球をつくる（撮影・藤原養蜂場）

分封による増群、繁殖

冬越しした群れは、早春の開花とともにどんどん花蜜・花粉を集め、産卵・育児も活発になる。東京周辺では四～五月になって蜜も蜂も増えて勢いが高まったとき、分封が起こる（写真2－9）。それは通常、新しい女王蜂が生まれて一家を継ぐ段取りが整う直前に、古い女王蜂が群れの半分くらいの働き蜂たちを連れて、外へ出て行くのである。分封による増群がミツバチの自然な繁殖のしかただ。

この時期の分封群は、蜜胃に蜂蜜をいっぱい持っており、新しいすみかですぐに巣づくりを始めることができる。これをふまえて飼育を開始するのが一番成功しやすい。詳しくは、第Ⅳ章で紹介しよう。

その年すでに分封したはずの元の場所の群れで、貯蜜と蜂数が増えて、夏になってふたたび分封を起こすことを「孫分封」と呼ぶ。また、冬越しを終えた群れが弱小であったり、裏年や天候不順で開花が少なく、春の集蜜が充分できなかったりした場合には、分封が遅れて夏分封となるケースもある。

孫分封や遅くに分封したものは群れが小さく、また巣づくりも大きくできなかったり、そもそも女王蜂の交尾がオスの不備や天候不順、トンボ、クモの巣、鳥害などで失敗しやすい。蜜も充分持っていないことが多く、正常な群れへの発達の成功率は低めである。

逃去の引き金になる管理

逃去《とうきょ》は、分封のような繁殖活動とは異なり、群れ全員が巣を捨てて逃走するケースである。再三述べているように、ジプシー的な「自由な在来原種」

ゆえの、すみかを変える行動ではあるが、ほとんどの場合、飼い方に原因があるものだ。

もっとも多いのが餌不足である。原因は巣づくり・育児・活動エネルギーに使う蜂蜜の利用に競合を起こして涸渇しているケースが多い。それに、西洋ミツバチによる「盗蜂《とうほう》」、クマやスズメバチ、アリの襲来、巣の底のごみの集積、スムシによる巣の食い荒らし、日射しの強さなどが、単独でも強力なインパクトとなる場合や複合化した場合に、逃去の原因となっている。

不適切な観察（内検）・管理作業や採蜜のやり方が、きっかけとなるケースもある。巣箱をたびたび長時間あけたり、巣箱中へ蜂群を振り落としたりすることなどは、クマに襲われた経験を彷彿《ほうふつ》とさせるのだろう。クマは、毎日のように繰り返し襲ってくるので、「逃げるが一番」となるのである。

いずれも、日本ミツバチにかかるさまざまなストレスが原因・誘因になる。それをなくし、日本ミツバチに快適な環境をつくり、管理を行なうことが、一ヵ所に定着させ、高い採蜜も可能にする。本書の以下の章で、それらは具体的に紹介していく。

スムシが原因の群れの衰弱・崩壊

蜜蝋でできている巣や花粉を栄養源にして生きているのがスムシである。スムシはハチノスツヅリガの幼虫で（写真2−10①、②）、巣にもぐって、つづるように食い荒らすので、この名前がつけられている。西洋ミツバチは、前述のようにプロポリスを出して巣を固めたり、スムシへの対応能力も獲得しているため、スムシの害は少なく、

群れを崩壊させることもあるスムシ

2-10①　ハチノスツヅリガの幼虫

2-10②　同成虫（撮影・片桐 徹）

2-11　ウスグロツヅリガ
／成虫　（撮影・片桐 徹）

2-12　スムシヒメコバチ
スムシの一種ウスグロツヅリガに寄生する

互いに共存しているが、日本ミツバチはいったん数匹のスムシの発生でもあると、これを防ぎにくい。それに対してウスグロツヅリガ（幼虫）は問題が少ない（写真2―11）。巣箱の巣クズの中できらきら光る小さな蜂はこのウスグロツヅリガの幼虫に寄生するスムシヒメコバチ（写真2―12）で、被害の発生を抑えてくれている。

　夏になって巣箱の底にごみがたまると、スムシが繁殖して巣脾のほうに上がってきて、巣をぼろぼろに食い荒らす。こうなると、働き蜂は掃除・集蜜・育児の意欲が低下して、女王蜂の産卵力も衰え、餌不足が重なって群れは急速に衰弱する。元気が残っているうちは逃去するが、その気力までもなくし、すみかも消滅して崩壊への道をたどることもある。

　木の洞をすみかとしてきた日本ミツバチは、ごみがたまるのを嫌い、それが巣にくっつくほどになると、巣活動がにぶったり季節を無視して分封したりする。対抗手段は、ごみがたまりだしたら掃除し、また熱消毒してやることだが、本書でおすすめする「現代式縦型巣箱」では、下に同口径の底箱を置き、誰でも手軽に掃除や熱消毒の処置がしやすいように工夫してある。

スズメバチに強い日本ミツバチ

　オオスズメバチはミツバチの巣の中まで入り込んで大量に殺して蜂蜜や蛹、幼虫などを持ち去ることがある。キイロスズメバチ（写真2―13①）は、巣の前でホバリングして待ち伏せし、一匹ずつ捕らえて持っていく戦法である（弱小群には入り込む）。

　西洋ミツバチは、侵入しようとするオオスズメバチに対して一匹ずつで迎え撃つことが多く、かえって次々と殺されて全滅の危険が大きい。また、キイロスズメバチに捕らえられる西洋ミツバチは、動きがにぶいため日本ミツバチの何倍にも及ぶ。

　ところが日本ミツバチは大型のスズメバチには集団で迎撃する。まず、巣の前でいっせいに尻を振ってキイロスズメバチを攪乱《かくらん》しつつ巣内の仲間に伝える。すると援軍が巣門前に繰り出してきて、さらに大きな一つの生き物のように相手を威嚇する。キイロスズメバチは、巣の出入り口近くまで飛んで様子をうかがうが、たいていは中まで入ってこないのでそれほど問題ない（写真2—13②）。

オオスズメバチの飛来に対しては、日本ミツバチは中で待ちかまえる戦法に切り替え、侵入してきたものに対し多数の働き蜂が巣内で何十匹といっせいに取り囲み、四五℃以上の熱で殺してしまう。また最近、呼吸のための二酸化炭素も利用して攻撃をより完全にするという新しい発見もある。ただし、オオスズメバチに一〇匹以上入られると、さすがの日本ミツバチも統制がとれなくなって殺されたり、逃去を起こす。

巣箱の出入り口の幅が、西洋ミツバチ用の横型巣箱は約一㎝で、これだとオオスズメバチが入ることができる。これを七㎜まで狭めて、さらに金属の薄い板を両面テープなどで開口部の周囲に張ることで、巣内に引き込む戦法の日本ミツバチの被害をより少なくできる。

オオスズメバチは狙っている巣箱を自分の縄張りと認識することがある。日本ミツバチへの危害もさることながら、中に入れなくて攻撃モードに入ることがあるので、近寄る人への攻撃に対してはくれぐれも注意する。

2-13①　**キイロスズメバチ**　巣の入り口付近でホバリングして帰巣蜂をつかまえようとする

2-13②　日本ミツバチの巣内に入って働き蜂に殺されたスズメバチ

アメリカフソ病やダニに強い日本ミツバチ

日本ミツバチの病気については西洋ミツバチの大敵であるアメリカフソ病やヘギイタダニ、チョーク病などに強いということのほかは、いままでほとんどわかっていなかった。九州の一部で日本ミツバチ独特の〝子殺し病〟が発生しているという話も聞く。今後も何か新しい病気が全国的にはやるかもしれない。そういうとき巣枠を引き上げ合理的に内検《ないけん》（＊）できる巣箱ならば、早期に異常を発見して対策も打てる。必ず定期的に内検し、確認を怠らないことだ。

＊日常の点検項目は西洋ミツバチに比べ非常に少ない

4 共和制の〝アマゾネス〟社会

群れの行方を決めるのは働き蜂

　女王蜂は、女王物質を出して働き蜂を取りまとめ、さらにメス蜂である働き蜂を不妊化させて、単独女王制を保って群れに君臨している。また受精卵と無精卵を産み分けて、群れの構成を決定している。しかし、分封時期を察知してオス蜂用の巣房をつくり、王台（女王蜂用巣房）を準備するなど、群れの運営設計をしているのは、じつは働き蜂である。

　また、働き蜂は日常でも巣脾上で女王蜂を追い立てて、産卵させたい場所へ誘導していくこともする。女王蜂が事故にあったり老化したりして産卵が衰えたときには、働き蜂はこれを殺したり、新しい王台を準備する。新女王が誕生する数日前、旧女王蜂と約半数の働き蜂たちが分封（分家）のため、新天地である木の洞などに大移動するが新しい巣が定住の地に本当に決まるのは、その後女王蜂の産卵開始前後に呼応して働き蜂が幼虫の餌、つまり多数（一分間に一〇匹以上）の蜜や花粉を運び込んだときなのである。

　このように、働き蜂こそ一家の方向性を決める存在である。ミツバチの社会は女王による専制ではなく、共和制、いや〝アマゾネス社会〟である。

働き蜂の行動、そぶりに注意

　とくに、人為的に選抜・改良されていない在来原種の日本ミツバチは、逃去を引き起こすようなストレスに敏感である。また日常管理でも、できる限り短時間のうちに巣箱を素早く、やさしく、ていねいに内検し終えることが肝心である。たびたび巣箱をあけたり、大きな震動を与えたり、巣脾を長時間光にさらしたりしたときなどのストレスは西洋ミツバチよりはるかに大きい。

　群れが落ち着いていて元気があるか、混乱・憔悴していないか、しているとすればその原因は何か……。日本ミツバチの社会にやさしいまなざしを向けることで、それらの情報は働き蜂の行動、そぶりからかなりの程度つかめるようになるものである。

※日常の点検項目は、西洋ミツバチに比べ非常に少ない。

Ⅲ章

日本ミツバチ専用の「現代式縦型巣箱」

——特徴とメリット

1 これまでの主な巣箱

丸太巣箱
―日本ミツバチが好む伝統的巣箱

伝統的な丸太巣箱は、第Ⅰ章で述べたように、日本ミツバチがもっとも好む巣箱である。太い丸太をくり抜き、その中に自然巣をつくらせるもので、試みにきれいな四角に空間を抜くと巣枠を入れることもできる（写真3―1）。写真の例はクリ材だが、スギなど凹凸のないものが扱いやすい。マツのようにヤニがあるものでも日本ミツバチは嫌がらない。

3-1　木をくり抜いてつくった丸太巣箱の一種

簡単につくるには、いったん丸太を縦に挽き割って、中を直角（サイコロ状）に切り抜き、ふたたび組み合わせてしっかりと太い針金で締める。すき間があると、スムシ（ハチノスツヅリガの幼虫）やゴキブリがすみつきやすくなるので、出入り口以外は粘土や石膏で埋める。内部に蜜蝋または蜂エキス（巣と蜂児を煮溶かした液など）を塗る。巣は上部と周囲に接着・保持されるが、空間を広くとりすぎると夏の暑さで蜜蝋がゆるんで落下することもある。そこで、ふたの上にコモと発泡スチロール、トタン板などをかけて日よけをする。

その際、ふたの下に（つまり天井部いっぱいに）、竹ヒゴのような細い棒を等間隔（棒の中心から中心までが約三～三・二五㎝）になるように渡して固定し、それにワックスを塗ることで、蜂は棒に沿って巣房をつくり始め、下へ巣脾を伸ばすので、凸凹がなくビースペースがそろった自然巣が多数でき、巣蜜部の形も整うので製品価値も高まる。また、あとで縦型巣箱・可動式巣枠へ移植する場合もやりやすくなる。

丸太は製材所でも手に入り、材料費

を安くできる（中が洞になっていると木材の価値があまりないから）のがメリットで、山に置いて分封群を捕らえるのには適している（万一、盗まれてもあまり悔しくない）。

重箱式巣箱
—中に自然巣をつくらせる、半再生的

開口部二〇×二〇cmぐらいで、高さが一五cm前後と浅めの底なし巣箱を二段、三段と重ねる方式で、群れが大きくなるにつれて段を増やしていく。上のほうの段が貯蜜圏、下方が育児圏となりやすい。採蜜のときには上・下の境目にタコ糸か針金を入れて巣を引き切って、上段だけ搾ることにより、下の巣と蜂児を残すことができる。

各段の上部に、クロス棒（X字型に組んだ棒）を差し渡しておくと落下防止となり、巣がそれに接着固定されるので合理的である（写真3—2）。

分封群を呼び込んで自然巣をつくらせて飼うには便利で、初期の経費も安上がりである。ある程度、巣と蜂群を残しながら採蜜を繰り返すことができるので丸太巣箱よりは一部再生的であるが、遠心分離機にはかけられず、少なからず巣や群れにダメージは避けられない。

3-2　重箱式巣箱　クロス棒で巣を支える

巣枠式横型巣箱
—西洋ミツバチ仕様の巣箱

最高七枚の巣枠、日本ミツバチには分割板で調節

西洋ミツバチ用につくられた横長の「巣枠七枚用」巣箱で、比較的小型であること、巣枠（巣脾）を引き上げて蜂群や貯蜜の状態を観察して適切な管理ができること、遠心分離機で採蜜して巣はそのまま巣箱に戻すことができるのが最大の特徴だ。産業的近代養蜂の基礎をつくった巣箱の一つである（写真3—3①）。

この巣枠は横幅四八cm、高さ二四

cm、幅二五mmで、これを一つの巣箱に西洋ミツバチでは最高で七枚入れる。しかし日本ミツバチでは七枚だとビースペース（32頁参照）が広すぎる。最適なすき間七〜八mmとするためには、隣り合う巣枠の中心と中心の間が三〜三・二五cmとするのがよい。それには、横型巣枠の自距金具の片側をつぶして入れる。これで巣枠は最高八枚入ることになる。

写真3―3②が、横型巣箱の基本形であるが、この場合、横型木製給餌枠を入れているので、巣枠は最高で七枚入る。

写真3―3③で、巣枠の両外側に入っているのは「分割板」である。実際に巣箱に入れる巣枠数は群れの大小にあわせて加減する必要がある。七枚以下で巣枠を適当に配置してしまうと、巣がふくらむなどしてきれいな巣脾枠にならず、出し入れ作業が難しく

3-3 ①　**巣枠式横型巣箱**　横型巣箱による飼育風景（西洋ミツバチ飼育、撮影・藤原養蜂場）

3-3 ②　**横型巣箱のセット**　上の左が巣礎枠、右が人工巣枠

3-3 ③　**自距金具の片側をつぶして横型巣箱に7枚入れたところ**　テープの折れ目が巣枠の中心線の間隔を示し、日本ミツバチには3〜3.25㎝が最適

なったり、蜂をつぶしたり、あとで大変苦労する。この箱で日本ミツバチを飼う場合は、自距金具をつけないか、片方だけでもつぶして使用したほうが日本ミツバチの好むビースペースとなる。そして巣枠はきっちりと詰めて入れ、分割板で残りの空間を区切ってしまう。

さらに巣箱は二階建て（継箱重ね）とし、巣枠は二階側にのみ設置する。下段（一階部分）はごみなどの掃除部分として利用する。一万五〇〇〇円くらいと比較的初期費用も安くすみ、取り扱いも楽である。

巣礎、人工巣の利用

この七枚用横型巣箱で分封群を捕らえるときは、巣枠には日本ミツバチ用の「巣礎《すそ》」を張って待ちかまえる。巣礎とは、蜜蝋を材料にした薄板に巣房の六角形を型付けしたものである。分封してきた日本ミツバチはその巣型の上に巣房壁をどんどん盛り上げていけばよいので、巣づくりが効率的に、しかも整頓された形で行なわれる。

日本ミツバチ用の巣礎には日本蜂の蜜蝋を、西洋ミツバチ用の巣礎には西

横型巣箱での営巣のようす

3-4 ①　巣枠に自然巣脾

3-4 ②　巣枠に人工巣脾

3-5　横型巣箱用の巣礎枠（上）、巣礎枠に築かれた巣脾（中）、貯蜜が行なわれた状態（下）

洋蜂の蜜蝋を使うことが本当は理想である。「日本在来種みつばちの会」がすすめる巣房サイズは、日本ミツバチ用が直径四・九㎜、西洋ミツバチ用が五・三㎜としている。

写真3―5は上から、巣礎そのもの、巣礎上につくられた巣房、さらに蜂蜜を貯めた状態である。蜜蝋の分泌が盛んな初夏のころには、ミツバチは巣礎を活かしてどんどん巣をつくっていく。

しかし、梅雨時以降や弱小の群れには、ミツバチへの負担がさらに少ない「人工巣脾」を入れることをすすめたい。人工巣脾では女王蜂の産卵が活発になり、また人工巣脾内への給餌もできるので、弱小蜂群の力の回復、増強に非常に有効である。当然、遠心分離器の回転力にも耐える（人工巣脾について詳しくは次節参照）。

日本ミツバチで使うなら……

横型巣箱をトラップとしてだけでなくある程度継続的に日本ミツバチ群に使用する場合は、巣枠を底から一五㎝以上離して置き、ときどき巣底にたまったごみを掃除する。簡単な方法として、一階部分を熱消毒した同様の箱とそっくり交換するなどして清潔を保つのがよい。

ふたの上に発泡スチロールの板、その上に波板のトタン板をのせて石で重しをしたり、縄で固定したりする。日射しの強いところでは箱の周りを麻布などで包んで、急激な温度変化や雨風を防ぐ。

これらの準備がより多く分封群を集め、定着させ、健全な群れづくりをさせることにつながる。

巣枠への日本ミツバチ用巣礎張り

3-6　巣枠への巣礎の取り付け

巣枠の水平方向に蜜蝋を塗った針金をピンと三本張り、それに巣礎を固定する（写真3―6）。あらかじめ蜜蝋を塗っておいた針金をライターで熱し、その余熱のあるうちに巣礎の厚み（二～三㎜）の中心まで食い込ませる（突き抜けると巣礎が切断され修復しにくい）。針金全体が埋まらないときは、溶かした蜜蝋をふでで塗って補修するとよい。

針金を手早く埋める方法として、電熱線の使用やローラー式電気埋線器がある。養蜂業者のパンフレットを参照する。（※巣礎付き巣枠も販売されている）

日本ミツバチには大きすぎる横型巣箱

横型巣箱は、日本ミツバチでも、四、五月ころ（東京や暖地を基準）の元気な分封群を捕らえるのには最適だ。前にも述べたように価格も比較的安いので、山野に多数仕掛けておくのに便利である。この巣箱に蜜蝋を塗った巣礎枠を入れ山に置いておけば、中は空間が広く、巣をつくって卵を産むところがいっぱいあるので、入った蜂群は喜んでどんどん巣をつくる。蜂蜜がたまれば巣枠を遠心分離器にかけ採蜜もできる。

だから、この巣箱で繰り返していつまでも飼育や採蜜をしていけると思ってしまう。しかし、一年を通して見た場合には、横型巣箱はスペースが大きすぎるのだ。掃除能力の高い西洋ミツバチなら巣箱全体を守っていける。日本ミツバチも蜂数が多いときは、ごみ掃除、外敵防御など充分やっていけるが、梅雨期以後の餌不足や分封などで蜂数がいっきに減少したようなときなどは、スムシの勢いのほうがまさる。そうなると、このタイプの箱は、日本ミツバチには巣枠や巣箱内の容積が広すぎて守りきれない。底のごみが山になり、潜んでいたスムシが巣枠に後から後から登ってきて、アッという間に大被害が起きてしまう（写真3―7）。

日本ミツバチは、いらなくなった巣や、スムシ（写真3―8）などに食害された巣をかみ砕いて処分するくせも

3-7　スムシでぼろぼろにされた横型巣箱の巣脾

3-8　箱板のすき間に潜むスムシ

記憶の昆虫、ミツバチ

　私どもの養蜂場では巣箱の害虫駆除・殺菌のための消毒は、ミツバチが中にいる巣箱では底に熱湯をかけて行ない、蜂のいないものについては、持ち帰って加熱消毒室（六〇℃の乾燥室）を利用し、巣箱と人工巣枠の処理をしている。

　九州方面では巣箱の内側をバーナーで焼いたものでも、分封群が百発百中入るという。九州のミツバチは焼けたにおいに代々慣れているからだろう。しかし盛岡ではそのにおいがダメなためか、分封捕獲用にその箱を何年間設置しても入ってくれない。記憶力の強い生き物だから、巣箱のにおいも格好も前にいたのと近いことを好む。野積みのリンゴ箱にすんでいた群れから分封した蜂は、またリンゴ箱を選びやすいものだ。

　ところで、たくさんの巣箱を並べて設置する場合、箱近くの帰巣航路から見える位置に、△や◎や□などの個別マークを描いておくのは、戻ってきた蜂がわが家を誤らず認識しやすくするためで有効である（写真3―9）。

3-9　巣箱ごとのマークは帰巣の目印に

あるから、さらに巣の落下、崩壊が助長される。共和社会の秩序、統制のとれた巣づくり、産卵・育児、集蜜活動に乱れが生じる。そうなると、お盆ころから来襲するスズメバチの侵入も容易に許してしまう。

　日本ミツバチとすれば、そうなる前にすみかを捨てざるを得ない。順調に飼ってきたのに、夏場になって起こる巣の弱体化、逃去など、それはたいていこんなメカニズムによる。横型巣箱での群勢の維持は、こういうわけで、梅雨時の後半あたりから相当苦労する。木の洞の高いところや墓の石塔につくられる群れが長年継続されているのは、そうしたことから免れるからだ。

2 現代式縦型巣箱と巣礎、人工巣脾

従来巣箱の利点を取り込んで

従来からある巣箱のメリットは、次のように整理できる。

●丸太巣箱　日本ミツバチがもっとも好む自然な木の洞の環境の提供（第Ⅰ章17ページ）。

●重箱式巣箱　縦型で育児圏（下段）と貯蜜圏（上段）に分けて、巣と蜂群を維持しながら採蜜する、比較的再生型の飼育ができる。

●横型巣箱（二階建て）　西洋ミツバチの可動式巣枠を用いた観察と管理、および遠心分離機利用による能率的採蜜、完全再生型飼育で採蜜成績の向上（養蜂グッズとして、既存のものの利用でまかなえる）。

これらのメリットを最大限取り込みつつ、日本ミツバチの個性にかなない、日本ミツバチに快適でやさしく、採蜜成績を三～五倍と高められる産業的養蜂の巣箱として開発したのが、これから説明する「現代式縦型巣箱」である。

その特徴は、

①面積が横型の約半分で、しかも底上げされていて、日本ミツバチが巣を守りやすい。

②巣箱の材質や構造が、ミツバチ自身による保温・冷房など快適環境づくりをするのに適している。

③巣枠式のため巣脾の観察・管理がしやすい。

④その際に光や寒風にさらし刺激を与えることが少ない仕掛けを施してある（天井部は、巣枠と巣枠の間を細棒でふさぐようにしている）。

⑤専用巣礎・人工巣脾の活用によって巣づくり、産卵・育児、貯蜜を応援して、自然巣脾の整形にも有効。

⑥下段で産卵、育児、上段で貯蜜というように使い分けて、巣脾を破壊せずに遠心分離器にかけて採蜜できる。

⑦季節の花別の採蜜がおおむね可能になり、新たな魅力が生まれる（第Ⅰ章18ページ）。

⑧巣箱・巣枠が軽いため、高齢者や女性、子どもでも作業しやすく、また輸送も安全にできる（一般の方に養蜂やミツバチに対する理解者を増やすこともできる。また、ハウス内のコンパクトな受粉＝ポリネーション

3-10　現代式縦型巣箱の基本セット　巣箱のサイズ（内径）は奥行、幅とも 24.5㎝、高さ 24.0㎝

・軽くて子どもやお年寄りでも管理できる

上に増築していく
板の厚さは25㎜で保温バツグン

採蜜で巣が壊されないから群れを大きくできるわ
高さ約60㎝
・小さく密集して冬越しする性質に合わせた縦長スリム型（上に熱が集まる）
7枚の巣枠が入る
・採蜜量が従来の3倍以上　東京都で1年1群 28kgの記録も出た！
・底まですき間があるからスムシにやられにくい
板枠は取り外せる
・定期的にごみ出しできる
・熱湯（湯飲み茶碗杯分）でスムシもゴキブリも簡単駆除（熱い蒸気が蜂を刺激しないように、ダンボール紙かベニヤ板を蜂群の下部に一時的にあてがってから、巣箱底に湯をかけること）

図 3-1　日本ミツバチのための現代式縦型巣箱

への導入が軽くてとても便利）。

それでは、二〇年以上かけて考え抜き、開発完成した新しいコンセプトの巣箱の構造と仕組みを紹介しよう。

構造と仕組み

現代式縦型巣箱

この縦型巣箱の一式は、写真3―10、図3―1のとおりである。上から、

●雨よけ用ポリカーボネートの波板　直射光を防ぐブラウンタイプ。これにロープを固定したり石などで重しをする。

●保温用発泡スチロール板　断熱効果があり四季を通じて、保温対策にもなる。

●天井ふたと蜂漏れ、ムダ巣防止棒（写真では見えない。図参照）

3-12　**クロス棒付き半枠箱**（底箱）

3-11　**縦型巣箱の枠箱**（継箱）**と人工巣の巣枠**

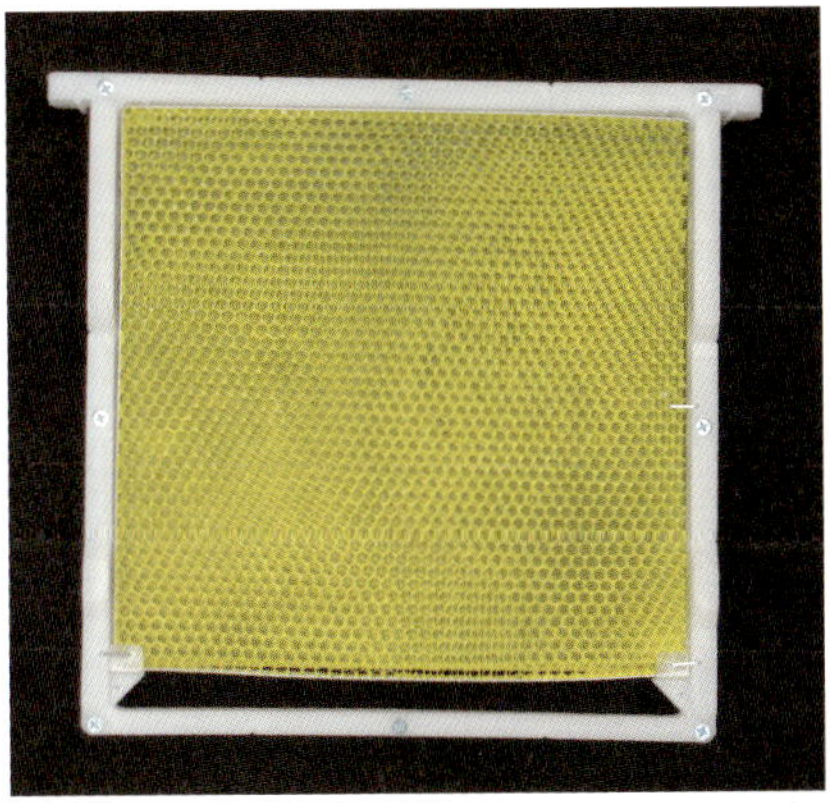
3-14　**人工巣脾を縦型の巣枠に取り付けた状態**

3-13　**巣礎**　上は横型巣箱用。下は半分に切り（左）、縦型の巣枠に取り付けた状態

●縦型式枠箱（継箱）　これに巣枠を入れる（写真3―11）。群れが大きくなり貯蜜が増えるのにあわせて、段数を増やしていく。写真3―10は二段。

●クロス棒付き半枠箱　高さは継箱の半サイズ。底上げのためと底面用給餌器を入れるスペース用の空箱（写真3―12）。ミツバチは枠箱の下へ巣を伸ばしてくることがある。採蜜時などに上下の箱の巣枠と自然巣を針金かタコ糸で切り離しても、下に伸びた巣はクロス棒に接着していると落ちない。

●巣底用敷石　材質は水浸透性コンクリートで、水にも熱にも強い（木板でも代用は可能）。

●風止めおよび運搬用合繊ロープ　切れにくい麻縄などでもいい。

巣礎と人工巣脾（拡大）

3-14 ②　**ポリプロピレン製（蜜蝋塗布）の人工巣脾**　巣穴サイズは直径 5㎜、巣房の深さは 7.5㎜

3-14 ①　**日本ミツバチの蜜蝋製の巣礎**　巣穴直径は 4.9㎜

巣枠と巣礎、人工巣脾

この縦型巣箱に入れるプラスチック巣枠、専用巣礎、人工巣は写真3―13、3―14のとおり。

●プラスチック巣枠　この枠に、自然巣の巣脾、巣礎、人工巣脾を必要に応じて固定する（53ページ参照）。枠サイズは横型巣枠のちょうど半分の縦二三五㎜、横二三〇㎜なので、横型巣箱に営巣している蜂群を縦型に移植するときには、巣板をちょうど半分に切ればスッポリと納めることができる。巣枠は、枠箱の出入り口に対して直角方向になるようにつくられている。

●巣礎　44ページで述べたように日本ミツバチ用は日本蜂の蜜蝋製が理想だが、西洋ミツバチの蜜蝋でも充分代用は可能。巣穴の直径は四・九㎜。

●人工巣脾　さまざまな材料と製法を模索した結果、食品用ストローと同質素材のポリプロピレンを用いることにより、人間に安全で、しかもミツバチが好んで産卵、育児し、蜂蜜・花粉を貯められる（写真3―14①、②）。しかも一〇〇℃の熱湯でも変形しないので煮沸できる。巣穴サイズは直径五・〇㎜。ミツバチがなじみやすくするための蜜蝋も塗布して厚みが出るので、巣礎よりも〇・一㎜大きくしてある。

※縦型巣箱はセットで三～五万円（「日本在来種みつばちの会」の会員は特別価格。詳しくは同会事務局にお問い合わせください）。

縦型巣箱のメリットと活用

底のごみ処理、害虫退治が容易

巣枠の面積を西洋式巣枠の半分にして、しかも底に空間を確保していることにより、ミツバチ自身の掃除意欲が

3-15　**底上げの半枠箱**　壁板の一部をはずして清掃・消毒や給餌ができる

3-16　**厚い箱板**　保温やスズメバチ対策を考慮した出入り口

持続し、飼育者による管理の手軽さもあいまって、清潔でスムシの繁殖・被害のない環境ができる。また、底上げの半枠箱の板はネジ止めなので四方のネジをドライバーで開けて、ごみのたまり具合をチェックして掃除し（写真3―15）、同時に熱湯処理もできる。

敷き石が浸透性コンクリートであることで熱処理がしやすく、底面積が狭いので、茶碗一杯の熱湯をサッとかけるだけで、スムシもゴキブリなどの不快生物も退治することができる。この処理で、スムシが二〇日～一ヵ月くらいは出てこない。ただし、蜂のいる巣のほうに熱が上がらないようベニヤ板やダンボールなどを前もって差して断熱しながら行なうほうがよい。またこのとき、ゴキブリや蛾が逃げ出さないように、あらかじめすき間をなくし、すばやく処理することがコツである。

箱板を厚くし、出入り口は巣枠の脇に

巣箱用の板の厚さを二五㎜と、横型巣箱の一㎝よりグッと厚くしている（写真3―16）。Ⅰ章で述べたように、ミツバチは自分たちで冬の保温・加温、あるいは夏の冷房を行なう。なかでも日本ミツバチはとくに省エネ型の空調システムをとっているのが特徴である（29ページ）。この営みを助けるために、できるだけ巣箱内の温度変化を少なくしてやることが大切だ。冬でも日射で箱内が暑くなると、びっくりして外に出てしまい、その後寒さにあたって雪の上に落ちて死ぬことがある。室温の激変のない、木の洞と同じ条件をめざせるよう板の厚みを増した。

出入り口の位置は、さまざま試した結果、前面を南向きにした状態で向かって左横とした（右でもよいが、ど

ちらかに統一）。これは、巣箱内に冷たい風がまっすぐ入っていかないようにするためである。巣枠が正面に対して直角に入っていることとあわせて、ミツバチの群れを寒さから守る構造である。正面中央に小穴をあけるタイプも試作したが、保温性は高いが、帰巣した蜂が巣枠半分の距離をグルッと回って各場所に行かなければならないし、湿度も抜けにくいことがわかった。

　また、出入り口を下端に横長としないのは、冬の雪対策もある。また、ミツバチが底にたまったごみを踏んで足についたスムシの卵や小さな幼虫を巣脾内に持ち込まないためでもある。ただし「ハチマイッター」は箱の下端につけるため、そのための切り抜きをつくり、ふだんはふさいである。

　出入り口のサイズは七㎜×一〇㎝としている。巣箱の板の厚みが二・五㎝あるのとあいまって巣穴の幅が八㎜以下ならオオスズメバチの侵入を長期間防ぐことができる。

最適ビースペースを確保
—プラスチック巣枠

　日本ミツバチは巣脾表面から隣りの巣脾表面のすき間（ビースペース）を、非常に綿密に一匹〜一匹半が通れるくらいにつくる。そのため、西洋ミツバチ用のように巣枠のすき間が広いと、巣脾にふくらみができて凸凹になったり、二重の巣脾部分ができたりする。そうなると、巣枠の上げ下げのときミツバチをつぶす危険が大きい。縦型巣箱用のプラスチック巣枠は、日本ミツバチに最適のビースペース八〜一〇㎜を確保できる。隣り合う巣枠をピタッと並べれば、その中心線間の距離が三二・五㎜となるよう枠に出っ張りをつけてあるからだ（写真3—17）。ミツバチは深さ約一〇㎜の巣穴をつくるので、両側から一〇㎜ずつ盛り上がると、ビースペースは約一〇㎜となる。

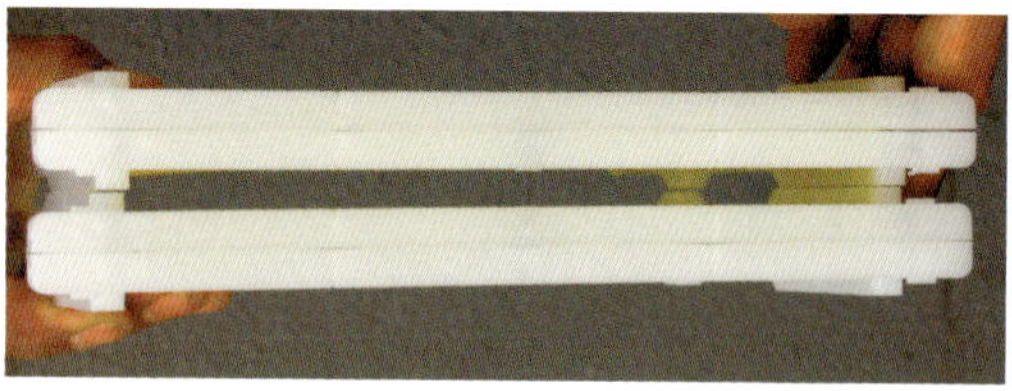

3-17　日本ミツバチに適したビースペースになるプラスチック巣枠（2枚を上から見た状態）

　なお、人工巣の巣穴の深さは約七・五㎜。これは二㎜分くらい自分でつくったという気持ちをミツバチにもたせ、なじみよくさせようという配慮だ。

　また、以前の巣枠は木製で、蜜・蜂児でいっぱいになると一枚一kgもあるから指が滑って落としてしまい、蜂・

蜂児を死なすことがあった。そこでこのプラスチック巣枠の両サイド上部には、滑り止めの突起もつけている。いっぽう、巣箱の内壁の下のほうには、巣枠が蜂をつぶすことのないように巣枠をスライドさせてから固定する出っ張りもつけてある。

自然巣も固定しやすい

自然の営巣群や横型巣箱の営巣群をこの枠式縦型巣箱に移植するなど、巣枠への巣脾の取り付け（写真3―18）・固定は、これからの必須技術となるだろう。その場合、巣枠の水平方向と垂直方向にはそれぞれ、二本の針金を張って、巣脾を支えて固定するのが基本である。このプラスチック巣枠では、さらに、取り付けた巣脾が下がらないよう、小さな二枚羽根の「巣脾および巣礎支え」を設けてある。巣礎を巣枠に取り付ける場合は、両サイドの下端を羽根で挟む（写真3―19①）。厚みのある人工巣は、羽根にカッターなどで切れ目を入れL字型に折り曲げて、そこに両サイド下部をのせて、タッカー針で止める（または台座の穴から針金を通して固定する、写真3―19②）。

　また、巣枠に巣礎や人工巣脾を入れたとき、下に二cmほどのすき間ができるようにした。王台スペースをとるためだ。ここなら下向きに王台ができ、すき間も充分あるので、王台をカッターなどで切り取るのも簡単にできる。さらに、王台スペースのほうには巣は伸びにくいから、「巣づくりは

3-18　縦型巣枠への巣脾の取り付け

プラスチック巣枠の巣脾支え

3-19②　**人工巣脾をタッカー針で固定**　曲げるだけで必ずしもタッカーしなくてもよい

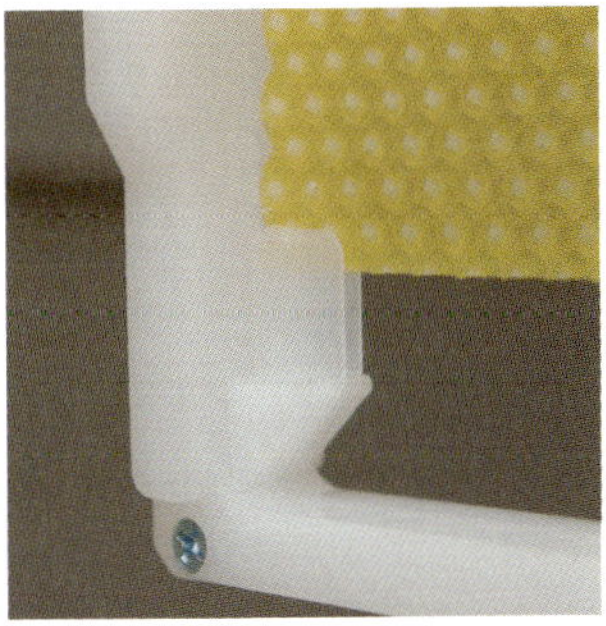

3-19①　**巣礎を挟む**

ここまで」という境界線になり、下に通りやすいスペースができる（溶かした蜜蝋で人工王台を付着させ、養わせるのも非常に簡単にできる）。

なお、このプラスチック巣枠に自然巣を固定する場合、巣脾を巣枠に入るよう四角に切って整形するが、小さい巣脾では下部が下がることがある。これを写真3―20のように、プラスチック製の荷づくりテープをあてがって、ミツバチが固定してくれるまで下支えしてやるとよい。

また、巣脾の下がりを防ぐための水平方向の針金は不可欠だが、横へのズレを防ぐ垂直方向はゴムを掛けるだけだからじつに簡単であり、一〇日もするとミツバチがゴムをかじって切り落としてくれる。そのころには、巣脾はミツバチによって枠にすっかり接着されている（詳しくは83ページ）。

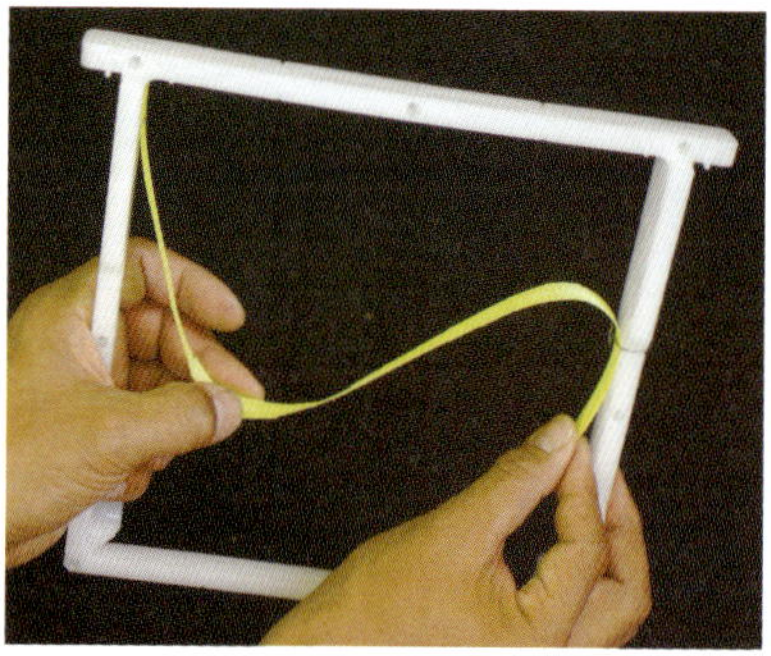

3-20　巣脾の形状に応じてテープで支える
テープの一方（写真の左）は固定、もう一方（同右）は針金で枠にとめて調整しながら巣脾の下部面にあてがって支える

折り返し三枚ぶたと蜂漏れ防止棒

上段の枠箱にのせるふたを、私は三枚ともガムテープでつないで、折り返しながら開けるようにしている（写真3―21）。

観察や管理でふたを開けるとき、横型巣箱では強い光がサァーといっきに入って、大騒ぎさせることが多いが、これだと日射しの入りがゆるやかになるのでミツバチを驚かせることが少ない。これは、自然巣づくりさせたとき、くっついた巣を無理にいっきに剥がさないためにもよい。

蜂漏れ防止棒（写真3―22）は、上段の箱の巣枠上部のすき間をふさぐ細い角材。蜂が上がってこない、ムダな巣が上にふくらんでこないようにするアイディアである。これでとても扱いが楽になる。また三枚ぶたと同じく、光や風がいっきに入るのを防ぐのにも役立つ（下側にいるミツバチにとってはまったくの天井に見えるわけだ）。細棒は蜂を安全に巣内に退避させる「蜂追い」にも使える。

ミツバチが傷ついたり死んだりすると、仲間に危険・異常を伝えるにおいなどのサイン物質が出るようで、群れは急に落ち着きをなくし、騒ぎ出すことがある。作業中は一匹たりとも殺さ

3-22　**蜂漏れ防止棒**　蜂追いにも活用

3-21　**上段の枠箱のふた板**　3枚を布テープでつないでのせる

ない覚悟、驚かさないという心がまえで、これらの安全装置を活かしながら、すべての操作を日本ミツバチにやさしい手順と方法で行なうことである（管理の実際はⅤ章92ページ参照）。

巣箱の輸送・移動もしやすい

巣枠の出っ張りによるビースペースの確保は、輸送中に急停車で巣箱が倒れてミツバチが圧死するのを防ぐねらいもある。西洋ミツバチ用の巣枠だと固定が完全ではないので、輸送のときは駒（木クサビ）を打たないといけない。しかしこのプラスチック巣枠なら、差し入れた上からガムテープなどで両サイドを止めるだけで、万が一、巣箱が横倒しになっても安心である。

横型巣箱を下から見ると横揺れに弱い構造で、強く揺するとミツバチをケガさせてしまう。どうしても横型巣箱での移動が必要なときは巣枠をしっかり固定し、車に乗せる場合は進行方向に巣枠の向きを合わせるようにする。

いっぽう、現代式縦型巣箱での移動のポイントは、空気が通るようにすること。巣箱の正面に四角く木で枠をつけプラスチックか金属の網（一～二㎜くらい）を張る。底にも同様に網を張り、ミツバチが騒いで熱を発生させても空気が抜ける道を確保しておいて、移動する。ミツバチは暑くなると外に出て涼むことができる。日本ミツバチは外から空気を入れて巣内を冷やす習性があるので、巣門をふさいで移動するのは短時間であってもおすすめできない。

箱の上下のつなぎ目は布ガムテープ等でずれないようにする。ぬれた新聞紙を箱同士の接合部分に挟んで重ねても動かない。そのうえで手で持ち運べるようにひもでしばる。

人工巣脾のメリットと活用

五つのメリット

人工巣脾には次のようなメリットがある。

①産卵適性が優れている

写真3―23のように卵と幼虫・蛹がギッシリ入った状態をつくりやすい。蜂児がいることは働き蜂が仕事する意欲につながり、群れが活気づく。

②作業適性が優れている

遠心分離器による採蜜、巣脾の再利用に最適である。群れの状態の内検・確認がしやすい。

③自然巣脾の整形・整頓

凸凹ができやすい自然巣などの巣枠を人工巣二枚の間にサンドイッチ状に挟むことにより、きれいで平らな造巣が可能になる。

3-23　人工巣脾は産卵適性が優れている

④群れの勢い回復

花蜜の少ない時期や弱った群れの巣づくりの負担を減らし、また人工巣脾を給餌器とみなして使い、群れの勢いの回復にも役立てられる。

⑤人工巣脾はスムシが容易に食害できない

そのため、巣脾表面に現われやすく捕殺が簡単である。

完成間近プラスチック巣礎！―活用への期待

蜜蝋でつくった巣礎に、熱湯処理は不可能だ。ここにもし耐熱性のプラスチックの巣礎ができれば、使用後にきれいに洗って熱湯消毒して無菌の状態にして、ふたたび蜜蝋を塗付し再利用できる。スムシに食い荒らされた巣クズや古くなった巣脾の蜜蝋への利用にも大変役立つ。

しかし、ミツバチの巣の微妙な六角形を、平面上にわずかに盛り上げて正確につくるのは、実は高等技術だ。深さが七・五㎜の立体的な人工巣脾の開発にもかなりの技術と時間、そして経費をかけたが、それ以上に人工巣礎の完成は難しい。完成すれば実用性は非常に優れるが、八合目といったところだ。

巣枠式縦型巣箱で使う便利なオプション器具

給餌器

給餌は、花蜜の少ない夏枯れ時期や弱った群れの巣づくり・産卵・育児の手助け、自然営巣群の移植時や冬越しの貯蜜のために行なう基本技術である。間違えても、採蜜用の蜂蜜のかさを増すためのものにしてはならない（そもそも、そういう時期には給餌しないこと）。現代式縦型巣箱では、人工巣に蜂蜜または砂糖液を詰めて枠箱に入れる給餌方法（写真3―24）と、下の半枠箱のネジをゆるめて壁板を開け、給餌用の缶に餌を入れて与える底面給餌方法（写真3―25）他がある。

缶はブリキの一斗缶を切ってつくることができ、蜜蝋を塗って滑りにくくする。また、日本ミツバチが足をとられておぼれないように、給餌器の内寸すれすれのベニヤ板を浮かせる。缶の内外面にすべり止め用に蜜蝋を塗布するのも効果的である。

ビーハッチャー

花粉の代用としてタンパク質を補給するもの。きな粉から脂肪を抜いたものにビタミンやミネラル類を添加している。元気な蜂児を増やしたいときに使う。

上段の枠箱に、立ち上がりが二～五

3-24　人工巣による給餌

3-25　底の半枠箱から缶で給餌

3-26　花粉の代用にタンパク質を補給するビーハッチャー（撮影・山本なお子）

cmのはかまをはかせた四角い棒をのせてすき間をつくり、その中にトレーに練り込んだ上述のビーハッチャーなどをふせるように巣枠上にのせ、その上からふたをする（写真3—26）。この一枚分で五〇〇匹以上増えるとのこと。

ハチマイッター

ミツバチ社会では女王蜂がいることが、安心できる定着の条件である。とくに巣の移植のあとなど蜂群が落ち着きをなくしているときには、女王蜂が逃げ出すことのないように、女王蜂を確保しておく必要がある。

ハチマイッターは、働き蜂は自由に出入りできるが、女王蜂は外に出られず、しかも巣箱内では自由に産卵活動できるようにする仕掛けで、長野県のミツバチ研究家、間瀬昇さんが考案した（写真3—27）。

3-27　女王蜂の出巣を防ぐ**ハチマイッター**

ところで巣箱の出入り口はオオスズメバチが入れない七mmとしてある。女王蜂は四・五mmないと出入りできないから、ハチマイッターのすき間サイズは働き蜂だけが通れる四mmとしてある。これだとオス蜂も出られない。

移植後、ハチマイッターをつけるのは、女王が定着するまでの約一週間である。それ以外のときはじゃまになるので取り除く。

定着のサインは、働き蜂がどんどん花粉を運び込むこと（一分に一〇匹以上）。花粉は、女王蜂や生後三日までの若齢幼虫の食料のローヤルゼリーの原料でもあり、これを運び入れたことは女王蜂がここに定住し産卵するOKを出したということ。そのもとには、働き蜂のOKがある。分封でも定着でも、決めるのは働き蜂で、女王蜂はそれについていくという関係である（しかし女王もフェロモンを出して巣の統率に役立てたり、働き蜂の産卵を抑制したりしている。また、オス蜂を空中交尾時誘導したりする）。

郵便はがき

おそれいります
が切手をはって
お出し下さい

3350022

（受取人）
埼玉県戸田市上戸田
2丁目2－2

農文協
読者カード係 行

◎このカードは当会の今後の刊行計画及び、新刊等の案内に役だたせていただきたいと思います。　はじめての方は○印を（　）

ご住所 （〒　－　） TEL： FAX：	
お名前　男・女　歳	
E-mail：	
ご職業　公務員・会社員・自営業・自由業・主婦・農漁業・教職員（大学・短大・高校・中学・小学・他）研究生・学生・団体職員・その他（　）	
お勤め先・学校名	日頃ご覧の新聞・雑誌名

※この葉書にお書きいただいた個人情報は、新刊案内や見本誌送付、ご注文品の配送、確認等の連絡のために使用し、その目的以外での利用はいたしません。

- ご感想をインターネット等で紹介させていただく場合がございます。ご了承下さい。
- 送料無料・農文協以外の書籍も注文できる会員制通販書店「田舎の本屋さん」入会募集中！
  案内進呈します。　希望□

■毎月抽選で10名様に見本誌を１冊進呈■（ご希望の雑誌名ひとつに○を）

①現代農業　②季刊 地 域　③うかたま

お客様コード □□□□□□□□□□

お買上げの本

■ご購入いただいた書店（　　　　書店）

●本書についてご感想など

●今後の出版物についてのご希望など

この本をお求めの動機	広告を見て（紙・誌名）	書店で見て	書評を見て（紙・誌名）	インターネットを見て	知人・先生のすすめで	図書館で見て

◇ 新規注文書 ◇　　郵送ご希望の場合、送料をご負担いただきます。

購入希望の図書がありましたら、下記へご記入下さい。お支払いはCVS・郵便振替でお願いします。

（書名）	（定価）￥	（部数）　部
（書名）	（定価）￥	（部数）　部

3 飼育に適した環境と施設

巣箱の置き場所と環境

日本ミツバチの飼育適地の第一条件とは、待ち受け箱を置いて毎年蜂が入るような場所のことである。

夏は暑さを防ぐように葉が繁り、冬にその葉が落ちて、日射しがやわらかく差し込み、北風が強く当たらないところが日本ミツバチには居心地がよいようだ（写真3―28）。

松や杉などの常緑樹なら東南を向いた山の斜面の、直射日光が当たらない木一本ぶん林に入ったような場所。夏は太陽が高いので日陰になり、冬は日射しが入ってきて陽だまりになるような環境がいい。方角は南向き、または南西・南東くらいまでで、こうした日当たりがよい場所には自然巣が多く見つかる。北向きで冬に日が当たらないところに巣箱を一～二年置いておくと、ほとんど群れがダメになるので、陽の光の大切なことがわかる。

常緑樹より、夏は葉が繁り、冬に葉が落ちて日当たりがよくなる落葉樹林はなおよく、その場合は二～三本山中に入ったところでも充分居心地よさそうにしている。実際それ以上、中に入ったところには、自然巣はあまりない。ただ、森の中にポッカリ開いた空き地のまわりの大木の洞などには営巣群が見つかることがある。

さて、以上のような条件のところに、斜面なら平らにならして巣箱を置

3-28　**望ましい設置環境の一例**　暑さや日射しをやわらげてくれる葉が繁り、北風が強く当たらないところが居心地よさそうである

いていく。朝早くから光が届くところが最適地。朝早くから遅くとも九〜十時までに光が届くところを選ぶ。

蜜がつねに貯蓄されていると保温効果があるので、巣箱の中はあまり温度が変わらずミツバチにとっては暮らしやすくなる。陽が当たると蜜や花粉を求めて飛び始める。

さらに山あいに巣箱を置く場合はクマ対策の電牧柵を設けて、襲われないようにする（写真3―29）。最近は電池式やソーラータイプがある。

3-29　クマよけの電牧柵

なお、どんなによい条件であっても農薬の被害が起きる場所は選ばないようにする。

巣箱の周りの施設

ミツバチの縄張りについて

巣門の前に一mから二mの滑走路があり、その滑走路も含め巣箱の周りを高さ二mに囲ってやると、そこをミツバチは自分の縄張りと思う（巣が自分という意識で）。その外では縄張りを守る意識はなくなって、刺すことはまずない。巣箱を新たな場所に設置するときはミツバチの気持ちになったつもりでいろいろな角度から考えるようにする。

ミツバチは自分の巣の位置を周りの形（複数の）で覚える。だから巣箱を移すと混乱して、側にあるほかの巣に入ったり、元巣箱があった場所に戻ってワンワンと飛んだあげく死んでしまう。一km以内の近場（たとえ一mでも）を移動するときは毎日一〇cmずつ動かすつもりで！

また、同じ形の巣箱を複数並べて飼うときは、錯覚を起こして違う巣箱に入ったミツバチが入られた側のミツバチと殺し合いを起こすこともある。多群飼育の養蜂場の場合、巣箱の前面や滑走路にあたる板などにそれぞれ異なった形をチョークで書いて区別させるようにする（46ページ参照）。

新しくよそから群れを連れてきたときはケンカを起こさせないようしばらくの間左右の巣箱（群れ）から直接巣箱が見えないように衝立などを前もって設置する。

風よけ・人よけ・防護壁

ミツバチが巣門まで帰ってくるときに風が強いと着地時の疲れ方が違う。そうした状況が続くとミツバチの寿命や健康、蜂蜜の採取量にも関わる。屋上で飼っている場合など早春や晩秋でからだが冷えていると、風であおられ、屋上の水たまりや巣箱前方に落ちて死ぬことも多い。風よけは絶対に必要だ。また、この風よけを設置することでミツバチにその内側だけを守る縄張り意識ができ、人を追いかけたりしなくなり、安定する。風よけの高さは一・八～二mぐらいがよいだろう。

屋上の囲いはかなり丈夫にしないといけない。思いがけない強風でもっていかれないように専門家に相談し、充分強度を保てるものにする。

日射しと温度の調節

巣箱は入り口の向きもふつう南や東南に向ける。

ミツバチは急激な温度変化に弱い。特別な事情がなければ通常は南方に向けて置き、ポリカーボネート製のトタン屋根などをのせ、屋根と巣箱の間に発泡スチロールを置いて断熱し、太陽の熱が巣内に急激な影響を与えないようにする。暑くなる六～九月中は日よけや風よけの一部に白い網をかけ、風を通すよう工夫する。

ミツバチは暑いときは水を汲んできて羽で風を送り、温度を調節し、つねに三四℃に群内を保っている。だから、明らかに暑すぎて騒いでいる群れには巣内に霧吹きなどで打水してやるとよい。あまり暑くなるところは逃去してしまうので一㎞以上離れた半日陰の場所に移住させると逃去の率が非常に低くなる。また涼しい山の中ではなく人工的な環境で飼う場合、すだれやよしずをかけたり、プラスチックトタンで巣門側を高く、後ろを低くなるように屋根をかけたりして日よけにするなどの工夫する（雨だれに打たれないよう）。暑い時期に蜂蜜が巣箱の中に必要量の半分以下になり、花粉を運んでくる蜂が一分に一～二匹以下になったら逃去の前兆といえる。

真冬は巣門を紙や木片などで一～二㎝程度に極端に狭め、風が吹き込まないようにする。ミツバチはひどく風を嫌うので、巣箱の後と横を麻袋で覆うとか、ダンボール箱や発泡スチロールで囲うなどする。ただし、南向きの前面はそのままにしておく。冬場前面に太陽光が当たり、巣内を温める場所になるからだ。だから前面は何もせず、

3-30　**水飲み場**　生きたミズゴケ、大小の自然石を置く。角材とコンパネで作っ畳１～２枚の広さにビニールシートを張ったもの（水を浸す程度）（撮影・藤原養蜂場）

そのままにしておくのがポイントである。なお、どんなに寒い時期でも子育てがされている巣箱の中心部は三四℃に保たれている。これが少しでも温度が下がると蜂の児が死んで、巣から引っ張り出されるのでよく注意しておきたい。

ミツバチは巣内の一番上に蜂蜜を蓄える性質があり、この貯蜜が保温・断熱の役目を果たしている。したがって、蜂蜜を全部採ってしまったときに外気温が上がると外の熱が伝わりやすくなり、巣内温度が急上昇し、逃去しやすい。また、暑すぎても幼虫は育たない。そのためにも採蜜は一枚おき程度に行なう。

気圧が下がってくるとミツバチは機嫌が悪くなってくる。これから天候が荒れてくるというときは内検や採蜜は控えたほうがよい。

水汲み場

また、働き蜂は、冬明け硬くなった蜂蜜をやわらかくして蜂児に与えるためや、扇風冷房のためなどに、巣箱の近辺から水を汲んできてどんどん巣内に運び込む。水飲み・水汲み場を巣箱のある敷地内に設けておくのがよい（写真3―30）。

離発着の安全—人工芝など

繰り返しになるがミツバチは羽がぬれると起き上がれない。着地寸前、風にあおられてあおむけに近くの水たまりに落ちたりすると起きられず、そのまま死んでしまう。安全に着地させることが大事だが、よいのは巣の周りに人工芝を敷いてやること。人工芝の上は土より歩きやすく、遠くから重い花蜜や花粉を巣まで運んできたミツバチがそこでいったん休んでから歩いても帰巣できる。

また、滑走路のようにベニヤ板、三角棒などを巣門前に置き、ミツバチが苦労せず巣門まで歩いて帰れるようにする。ベニヤから前部一～一・五mは、ミツバチの滑走路としての空間と心がけ、スムーズな離発着ができるようにしてあげることが重要である。

Ⅳ章

蜂群を上手に捕らえ、縦型巣箱へ

1 飼育開始の適期

日本ミツバチの飼育を始めるには、春から初夏の分封群を捕らえて飼うのが一番失敗が少なく安定性がある。この時期の分封は、蜂蜜がたくさん貯まりミツバチが増えて窮屈になった群れが分家してくるものだ。そのため群れに勢いがあり、ミツバチたちは蜂蜜を蜜胃に大量に持ってくる。また女王蜂の捕獲に失敗したとしても代わりの女王蜂や育児巣枠などほかの群れからの補いもしやすい時期である。

一般に分封の時期は、九州南部なら早ければ三月後半から始まり五月くらいまで、東京周辺で四～六月初旬、東北では最盛期が五月中旬から六月末までである。

2 分封群を迎え入れる

巣箱の準備と仕掛け

トラップ用には横型巣箱を

目の前に分封群がぶら下がっているなら、初めから現代式（巣枠式）縦型巣箱に入れるのが一番話が早い！　しかし、山に仕掛けて盗難にあったり、クマに壊されたりテンに箱をかじられたりすると、高価な巣箱だから、大きな損害になる。できるだけ安く、しかし採蜜はしっかりと遠心分離器にかけられるようにするためには、横型二段巣箱を日本ミツバチに適した仕掛けに加工して使うのが私の経験上一番である。

前にも述べたが、横型巣箱ならセット（二段、巣礎枠付）で一万五〇〇〇円くらいですむ（本書で紹介している現代式縦型巣箱は、一セット四万五〇〇〇円ぐらいで横型の三倍。安全、安心できる場所で使うのが前提となる）。

ただし、横型は夏になると底にごみがたまって、スムシ大発生の問題が出やすい。また、蜂蜜がたっぷり入ると重くなって高齢者、子供、女性には扱いにくい。そのためにも一、二度採蜜した後の初夏に、縦型巣箱に移し替えるのがよい方法だ。

トラップのポイント

横型二段巣箱を日本ミツバチのトラップに使うときのポイントは、第Ⅲ章でも述べたように、①底上げする、②専用巣礎（ときには人工巣）を入れる（二階〈継箱〉全面に入れること）、③巣脾の間隔を日本ミツバチの好みにあわせる、である。

分封群が入ったら早いうちに数回給餌する（計二〜五ℓの五〇％濃度の砂糖水）。

●底上げ兼ねて二段箱に　分封群が入ると、すぐにきれいに巣をつくる。すぐ見に行けない場合でも、スペースが広いので安心だ。下の単箱が底上げの役目も兼ねる。日本ミツバチは下に空間があること（洞の中でぶら下がった状態）を好むので、分封群が入りやすく、また夏までの間清潔を維持できる。

●専用巣礎　日本ミツバチ用巣房の直径四・九㎜のものを使う。東洋ミツバチ用を流用する会社も多いが、サイズが四・七㎜ほどと、「日本在来種みつばちの会」オリジナルのものより〇・二㎜小さいので、蜂が無理してからだをあわせようとして小型化する。また東北地方や標高の高いところの日本ミツバチはからだがとくに大きいから、サイズがまったくあわず、ときにはかじって壊したあげく、嫌がって逃去することもある（横型巣枠への巣礎張りはⅢ章44ページ参照）。

蜜蝋の材料に関しては西洋蜂のものでもそう変わらない結果が出ている。産卵や貯蜜が遅いときは蜂の子やローヤルゼリーのエキスをアルコール水に漬け込んだもの（アルコール水に対しエキスは五〜一〇％）をつくり置きし、適宜取り出して水で五〜一〇倍に割ってスプレーすると、急に産卵や貯蜜活動が促進される。

●人工巣脾　春から初夏の分封群捕獲の場合は、捕らえた群れを見て、入れるかどうか判断する（造巣能力の弱い群れには入れる）。

●巣礎枠　日本ミツバチ用に自距《じきょ》金具

の片側をつぶしてすき間を狭めると、八枚入るが（Ⅲ章42ページ）、巣枠を少し斜め置きし、七枚入れてすき間を埋めるように分割板を入れてもよい。

　巣礎枠は木製のほうが蜂は安定しやすいが、分封群は体中に蜜蝋をにじみ出すくらいの状態で来るから、プラスチック枠の入っている巣箱にもスパッと納まって、自分で蝋を塗ってしまう。

4-1　キンリョウヘンの花に集まった日本ミツバチ（撮影・藤原養蜂場）

　しかし、逃去群や営巣群を巣に入れるときには、蜜蝋の出せる働き蜂がほとんどいないのでプラスチック枠に蜜蝋を塗っておく必要がある。一斗缶に半分くらい水を入れ、蜜蝋を一kg投入してガス台で熱して溶かす。ゴム手袋をはめて、ここにプラスチック枠を適宜浸け、薄く蝋を被膜する。
　今後、需要が高まれば枠に蝋を塗ったものもオプションとして販売することも考えている。

分封群を惹き寄せるには

巣箱に黒砂糖・焼酎液

　黒砂糖と焼酎を一対一〇の割合で混ぜ、水で半々くらいに溶いた液をボロ布やハケ、フデなどで巣箱の内側に塗る。偵察蜂は、このにおいですみやすいよい家だと感じ、分封群として飛来する確率が高まる。いったん入ると逃げ出すことは少ない。巣箱を二段にする場合、上下とも塗っておく。巣礎は、蜜蝋でできていて同じように蜂群の呼び込み効果があるので無理して塗らなくてもいい。

キンリョウヘン

　本来、ミツバチのためには蜜も出さないキンリョウヘンの花が、日本ミツバチだけを強く誘因する（写真4―1）。分封の時期とキンリョウヘンの開花期は、なぜか各地域でほぼ一致する。これを巣箱の出入り口付近に置く。

　ただし、この花に誘われてきても巣箱に惚れ込んできたのではないので、気に入らないと逃げ出していく。それを防ぐために、上記の黒砂糖・焼酎液や蜜蝋塗布とキンリョウヘンをセットにして使うとよい。

「日本在来種みつばちの会」では、キンリョウヘンの斡旋をしているが、それは会員限定である。日本ミツバチを繁殖、保護するという会の目的をよく理解して活動する人だけに使ってもらいたいからだ。群れを崩壊させるような採蜜をする方には提供したくない。

なお、あるミツバチ研究者の当会会員が、キンリョウヘンと同じ効果のある化学物質を確定し始めている。いずれキンリョウヘンの開花期以外にもこれを使って蜂群を誘引できる可能性があり、そうなれば逃去群の捕獲や自然巣の移植時など使い道も多く、期待している。

巣箱を置く場所と心がけ

分封捕獲の巣箱は、風が当たりにくいところに置く。神社のように木に囲まれた中のちょっとした空き地で、大きな木に寄り添うようなところがよい。発泡スチロールの板をのせ、トタンをかけて石を置き、居住環境を整える。厚手のものに定着しやすい性質があるので、できれば巣箱の胴周りも麻袋などで覆うとさらによい。

設置はあっちの山に一つ、こっちの山に一つとバラバラでなく、数箱まとめて近くに置いたほうが効率がよい。そして、分封群が入ったらそれだけをすばやく約一～二㎞以上離れたところに移す。同じ群れから三つぐらい分封してくることもある。

さて、広葉樹の森が真近にあり、花蜜の出る花がよく咲くところに三箱も仕掛ければ、私の常識では一つには入る。分封群の偵察蜂がやってきて、どっちに行こうか、こっちは出入り口にする穴が大きすぎて、スズメバチなどの侵入が怖い……、こちらは中が狭い、あっちは寒暖の温度差が大きくなりそうだ、などと候補の品定めをしている。だから、こちらも自分がミツバチになった目線で、どういう仕掛け・環境だと満足できるか、イメージをつくってみる。それを描けるかどうかで勝負は決まる。このゲーム性が大事であり、楽しみだ。

私の経験では、いそうなところに三個も並べて仕掛けて、二年以内に一つも入らないということは、いままでなかった。

分封用具の利用

分封捕獲網かご

分封群が、木の太枝などに蜂球となってぶら下がっていることがある。これを捕獲するのに便利なのが、分封捕獲網かご。蜂球を見つけたら捕獲器の網でパッと捕らえる（写真4—2①、②）。網の入り口を閉じ、同じ場所に下げておくと、捕らえられなかったミツバチも周りに集まり球になるので、それにまた網をかける。ほとんどが集合し終えるのに一時間かからない。夕方遅くまで待てるなら、すべてのミツバチをこれで捕らえることができる。

発見したとき球になっていても、よそに新天地が見つかれば、アッという間に飛び去ってしまうこともあるので、あわてず、しかし迅速に捕らえる。

自動分封器

西洋ミツバチ用につくられたものだが、日本ミツバチにも使える（写真4—3）。

分封が始まりそうだというとき、これを巣門につける。働き蜂は飛び出せるが、女王蜂（オス蜂も）はこの自動分蜂器に入って外に出られないため、その周りにミツバチが集まってきて球ができる。その蜂球を新しい巣箱に移し入れれば、簡単に元群と分蜂群の二つに分けることができる。ただし、手荒くしたり、日中だと飛び立ちやすいので、移植は夕方薄暗いときに行なう。日中は分封捕獲網かごなどに群れを移し入れて、日陰にぶら下げておけばよい。もちろん、それまでに巣箱を考えられる限り好ましい条件に整えておく。

分封群を捕獲器で捕らえる

4-2 ①　蜂球に捕獲器の網をパッとかぶせる（撮影・藤原養蜂場）

4-2 ②　すぐ近い場所に下げておくと、捕らえられなかったミツバチも集まってくる（撮影・藤原養蜂場）

4-3　自動分封器

3 横型巣箱での飼育と、現代式縦型巣箱への移植タイミング

分封群が入ったら

巣枠枚数の調整

横型巣箱のトラップを仕掛けるときは、巣箱内のどこでも巣づくりできるように、巣礎枠をめいっぱい（七枚）入れて呼び込む。大きい群れが来ても巣礎枠が少ないと空間に自然巣ができて後々やっかいだ。

分封群が入ったらすぐに群れの大きさをみて枠数を調整する。ふつうそんなに大きな群れで来ないので、減らすケースが多い。巣礎は群内で巣づくりされずに置かれ続けると蜂の熱でゆがんでしまうので、いつでも枠数の増減に心がける。

通常、中心付近の枠から巣づくりがなされて産卵・育児を始めるので蜂数が多い。端のほうの数十匹しかいない枠は外して、分割板を入れて最適巣枠数にする（42ページ）。

専用巣礎と人工巣脾の追加

巣づくりが進み、群れが大きくなってきたら、今度は巣枠を追加していく。春から初夏の分封群なら巣礎枠を足す。この時期の日本ミツバチは、蜂蜜を食べて二四時間もするとからだから蜜蝋がにじみ出てくる。そういうときは専用巣礎を使うのが有効である。ほっておけばムダ巣をどんどんつくって巣が凸凹になるようなときには、巣礎をさらに一枚加える（写真4－4）。

そして、ぜいたくと思うかもしれないが、糖液や脱脂キナコの給餌も試みる。ミツバチの外勤するためのエネルギーや保温に使うエネルギーを給餌で補うことで、蜂蜜を蜜蝋生産に最優先させることができ、よく巣づくりに励む。

4-4　分封群が巣礎からつくった**巣脾**（巣枠上部に余った“ムダ巣”）

いっぽう、逃去群や夏以降の分封など蜜蝋の出にくい群れには、巣礎枠ではなく人工巣脾枠を入れてやる。弱小群に巣礎枠を入れると、巣をつくることはつくるがムラになる。無理して蝋を出したり、よそからかじって持ってきたりするからだ。そんなときは数回、早急に糖液を給餌してやる。人工巣脾枠―巣礎枠―人工巣脾枠―巣礎枠と、サンドイッチ状にするのもよい。

さらに花蜜も少ない寒い季節となって蝋がほぼ出ない十月からは営巣群からの移植（捕獲）は、巣礎を入れても絶対巣をつくらない。もっぱら、蜂に負担が少なく、産卵成績も上がる人工巣脾枠を、給餌しながら使うべきだろう。

巣脾間隔の調整、ムダ巣取り

群れに入れた巣枠の出し入れの際には、最適なビースペースとなるように、つねに気を配って調整する（Ⅲ章42ページ参照）。二重に巣づくりするなどして凹凸ができた部分や、枠の上にふくらんでいるムダ巣は、面倒でも、多少育児がなされていてかわいそうでも、蜜刀などで切り取って平らにする。切り取ったムダ巣は、冷蔵庫などに保管する。蜜蝋に仕上げてもいろいろと便利だ。幼虫や蛹のある巣はアルコール漬けにしてとっておいて、適宜、前述した産卵・貯蜜促進剤として利用する（65ページ）。

何枚分もの凹凸を平らにしてすき間ができたら、人工巣脾を一枚足してやってもよい。巣礎枠と人工巣脾枠を交互に入れるサンドイッチ方式は、凹凸の防止と、最適ビースペースの確保に役立つ。

なお、営巣群を移植して自然巣ができたような場合は、人工巣枠を足すときに、自然巣枠はだんだん端のほうにずらしていく。また、人工巣脾に貯蜜、産卵・育児がされるようになるにつれ、自然巣の中でいびつなものは取り外していく。人工巣や巣礎からの整頓された巣枠に置き換わることで、採蜜しやすくなり、さらには縦型への移植作業もスムーズに行なえる。

給餌

前述した分封群のミツバチは体内に蜂蜜を持ってくるといっても、やはり給餌するともっと早くいい群れに育つ。給餌液は砂糖液（砂糖と水を一対一）か蜂蜜水（脱色・脱臭蜂蜜に水を一～二割くらい加えたもの）を使う。

「外に花の蜜もあるし、餌など与えなくてもいい」と思うかもしれない。しかし、蜜蝋を出せる若蜂はせいぜい一

4-5　育児・貯蜜が最高潮に達した**移植適期**

週間で役目を終え、後は蜜蝋の補給員がいなくなるので、その前に集中的に巣づくりをさせる。また、寒さの残る時期には、自分たちの体温で巣を温めて蜂児を守らねばならないうえに、集蜜飛行のためにエネルギーを消費する。

巣づくり・保温・育児・飛行もと、働き蜂のエネルギー負担は非常に大きく、持ってきた蜂蜜だけでは巣内に競合が起こる。そのとき給餌すれば、寒い外に行かなくてもいいから、体温を保つことができてエネルギー消費も少なく、日本ミツバチはすごく喜ぶものだ。

横型巣箱用の給餌器（第Ⅲ章42ページ）に糖液を給餌してから、溺れるのを防ぐために割り箸を多めに浮かせておく。

縦型への移植タイミング

横型巣箱でクライマックス状態

横型巣箱に分封を捕らえて飼育した蜂群は、順調に巣づくり、貯蜜、産卵・育児が進むと、やがてクライマックス状態になる（写真4―5）。

そのサインは、

①箱がすごく重い。その重さの六〜七割は蜂蜜である。
②巣箱のふたを開けると働き蜂が溢れて、裏にいっぱいくっついている。
③巣脾《すひ》が大きくふくらんで底のほうまで産卵がなされている。

ミツバチがふたの裏まで溢れているのは、女王蜂の産卵能力が高いことを示し、巣の防備がしっかりでき、横型の広い範囲に掃除が行き届くなど、群れが最高に力を出し切っている状態である。しかし同時に、働き蜂が余っている、すなわち働く必要がなくなっている状態でもある。

蜂蜜がいっぱいたまって産卵・育児スペースが圧迫されると、働き蜂の仕事がなくなる。こうなると、王台ができやすくなり、蜂蜜を半分持って旧女王蜂とともに分封しようという行動が起こる。クライマックス状態が分封の引き金になる。これが花蜜の少ない梅雨以降に群れの半数も分封で出て行かれると、すき間ができ守りがあまくなり、やがてスムシの発生につながり、群れの崩壊や逃去への道を歩む事態も起こりかねない。

最盛期のときこそ「現代式縦型巣箱」による飼い方に切り替えるよいタイミングである。横型巣箱一段で平均七枚の巣脾を、半分に切って一四枚、縦型巣箱二段にする。なお、蜂蜜でふくらんだ部分は新型箱に入らないので、二〜三日前くらいに採蜜し、平らに削っておく必要がある。

横型巣箱で弱勢の群れ

横型巣箱では、冬越しへの備えが充分にできないことが多い。冬越しには、前もって一定の蜂数と蜂蜜を確保（V章99ページ）しなければならない。横型のままだと、暖気がたまる高いところに巣づくりや産卵をしようとしても、まとまった部分が確保できない。

そのため、冬越しの戦力となる働き蜂の蜂児を思うように増やせない。

夏にスムシの発生で巣が傷んでいれば、産卵・育児、貯蜜は減少する。そうなる前、前記のように群れが少しでも元気のあるうちに、遅くとも九月初旬（東北では八月初旬）には日本ミツバチが好む縦型二段重ねへ移植することをすすめる。

自然巣の移植タイミング
—優良群の増殖もねらって

II章28ページの写真2−5は、春の分封群が野積みのリンゴ箱にすみついてつくった自然巣の夏の状態で、巣が白いのは新しい巣だからである。ミツバチは自分で選んだ巣箱なので、気に入ってどんどん巣づくりしたことがわかる。しかし、下に巣がふくらんできており、このままにしておいて底まで伸びたら、ごみと接触してスムシが上がってくる。また、窮屈になると分封しやすくなるので、縦型へ移植する時期である。

自然巣を切って縦型の巣枠へつけることになるが、この写真の巣は比較的平らなので、整形・固定作業がしやすい。また、自然巣だから中が見えないが、巣を出入りする働き蜂が花粉をどんどん持ってくるのは、蜂児がたくさんいることの現われである。蜂児がいるのは、女王蜂がいることとともに、移植を安全に行なう必須条件の一つである（次項参照）。また、羽音をいっせいに「ジュッ、ジュッ」とたてるシマリング（V章96ページ）が聞こえることは統制のとれた群れの証拠であり、底の清潔さからは掃除力も高いことがわかる。こういう性質の優れた蜂群を再生・増殖することも現代式縦型巣箱の大切な目的である。

4 現代式縦型巣箱への移植の実際

移植の心がまえ

女王蜂と蜂児がいること

　移植は蜂群に大きな刺激を与える異常事態であり、クマに巣をかき回された記憶も甦ってか、気をつけないと逃去も起こりやすい（ただし、刺されることはまれ）。そのとき、女王蜂を見つけたら、すばやく王かごや未交尾かごに確保しておくと、仲間のミツバチが周りに集まって絶対逃げられない（写真4―6）。その点で、可動式の巣礎枠を入れた横型巣箱トラップは、女王蜂が見つかりやすいので実に効果的である。

4-6　女王蜂の確認（矢印）

　また、移植した新巣箱に蜂児がいるかいないかで、群れの落ち着きはまったく変わる。働き蜂が居ついて働いてくれるかどうかは、女王蜂よりも蜂児の存在のほうが大きい。移植は蜂児がたくさんいる時期に行なうか、それができない場合は、他の群れから育児枠を（成虫は落としてから）一、二枚もらって巣の落ち着きを待ってからが有効である。

盗蜂・逃去防止のため移植は夕方に行なう

　移植作業は、夕方に行なうと逃去も他の群れからの盗蜂も起こりにくい。

　複数群を飼っている場合に、天気のよい日中に移植や合併の作業を試みると、蜜のにおいをかぎつけて盗蜂が起こる。最初二、三匹偵察にきて、その後すぐにワーッとくる。ものすごい喧嘩が始まり、双方のミツバチが死んで被害が大きい。初めて遭遇した人はパニックになるかもしれない。そうなったら大急ぎでその場から遠く（一km以上）移動させるしかないが、そうならない予防が肝心だ。

　移植は、花蜜の少ない梅雨以降に

行なうこともある。そんなときミツバチは腹をすかせている場合が多い。周囲の巣箱の貯蜜状態を見て、それらの巣箱に蜂蜜が不足していそうなときはすべての群れにたっぷり給餌して、さらに一日おいた後に行なうほうがよい。

4-7　移植に必要な装置、資材（水や蜂蜜も用意）

移植の用具と巣枠の準備

必要な装置・材料と道具

❶装置・材料・道具

現代式縦型巣箱、プラスチック巣枠、人工巣枠など一式と給餌用の蜂蜜（砂糖混合液）、蜜蝋、熱湯（ポットに入れて）、水（一斗缶に入れて）、手洗い用バケツ、切り取った巣を入れるふたつきのバケツか缶、タオル、厚く束ねた新聞紙、ガムテープ、作業用ベニヤ板、ハチマイッター、捕虫網などを用意する（写真4－7）。

4-8　著者が移植作業に用いる道具の数々

❷作業道具

蜂ブラシ、蜜刀（刺身包丁でもよい）、ビングハム蜜刀、ハイブツール（箱と巣枠の接着を離したり、巣枠についた蝋をそぎ取ったりするのに使う金属ヘラ）、ニッパー、ペンチ、ラジオペンチ、輪ゴム、メジャー、専用巻き針金、

4-9　服装と防護服、面布など

4-10　プラスチック巣枠に蜜蝋を塗る

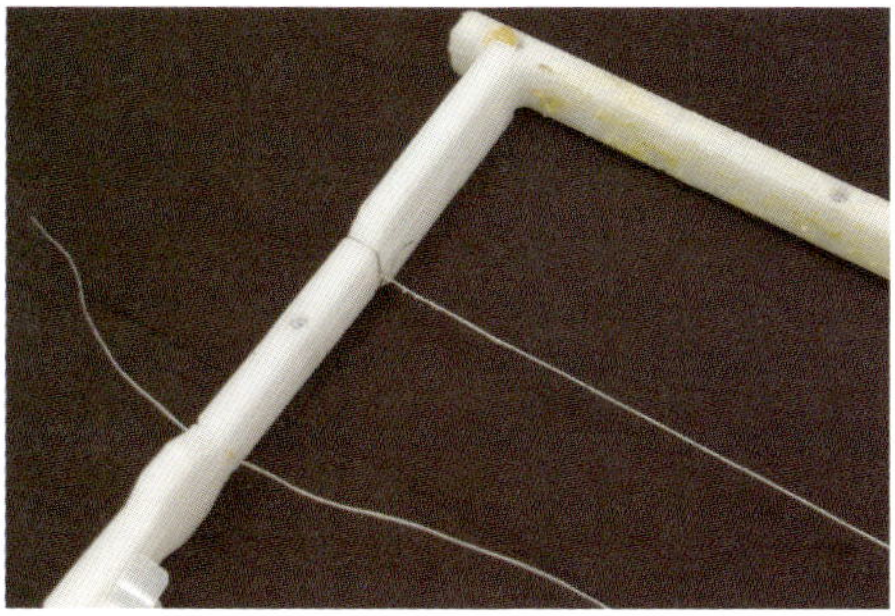
4-11　専用針金にも蜜蝋を塗ってから巣枠に張る

ドライバー、カッター（大小）、タッカー（大針）、女王蜂を確保する未交尾かごと王かごなどを用意する（写真4―8）。

使い方は、以下の作業手順の中で説明する。

❸服装

まず帽子、面布、防護服（上下つなぎ）を着用する（写真4―9）。靴はズボンのすそから蜂が入らないように輪ゴムやひもなどでとめる。手袋は巣枠の上げ下ろしなどのときミツバチをつぶし、かえって怒らせることもある。そのようなことのないよう手の感覚を鋭くするため基本的には手袋はしない（極薄手のものはよい）。

巣枠の準備
―蜜蝋塗り、針金張り

❶蜜蝋塗り

蜜蝋はプラスチック巣枠にも針金にも塗る（写真4―10、11）。とくに、巣脾は上枠にぶら下がったかたちで固定されるから、上枠の底面にもていねいに塗布する。

蜜蝋はミツバチのにおいがついているので、新居に違和感なくすみつけるようにする効果や、巣をかじるのを防ぐ効果がある。さらに、蝋は一見滑るように見えるが逆で、巣内の暖かい室温で粘土状になりミツバチの足の細かいトゲトゲが蝋にかかって歩きやすくなる。また、手で持っても滑りにくい。

大きめの分封群なら自分で蜜蝋をふんだんに出して塗るので、あまり必要ないが、営巣群からの移植のときや逃去群では、蝋を出すことが負担になって他の仕事ができない。少しでもサポートするために塗ってやると、新しい巣での産卵・育児の開始が早まる（蜜蝋生産の促進となる糖液給餌も大変有効）。

専用針金は、巣枠に張るために必要な長さ（四四〜四五cm）にそれぞれ切ってから、蜜蝋を指でこすりつけるようにして針金全体に塗る。表面には細かいザラザラがあるからよく塗り込める。

蜜蝋は、気温が低くて硬いときは、遠火で温めながら塗るとよい。大量に塗布するときは一斗缶で湯せんしてとろけた蜜蝋にドブ浸けする。

❷針金を枠へ通す

プラスチック巣脾は、垂直方向と水平方向に針金を二本ずつ渡して、巣脾を保持するようになっている。

水平方向の針金は、巣脾が下に落ちるのを支えるために不可欠で、事前に必ず準備しておく（写真4—12）。垂直方向の針金は横方向へのズレを防ぐもので、輪ゴムで便利に代用できる（Ⅲ章54ページ、Ⅳ章80ページ）。

水平方向の針金は、巣脾の両面にある巣房の中心線に埋め込んで固定する。そのため、巣枠の左右の横さんの中心線に上下二ヵ所ずつ、中心部に針金を通す小穴があいている。針金をこの穴に通し、七cmくらいずつ外へ出してグルッと枠を一周半巻き、ねじって張った針金の根元にからめて締める。あまりに強く引っ張ると、枠がゆがむので注意する。はじいてみてピンピンと高い音がするくらいで、上下二本が同じ張り加減なるようにする。

準備のできた巣枠は、交互にずらして重ねるとコンパクトになり持ち運びやすくなる。

自然巣の移植の実際

以下はリンゴ箱につくられた自然巣の「現代式縦型巣箱」への移植作業を中心に、写真で実際手順を追いながら説明していこう。

冬のわくわく仕事として子どもたちと一緒に巣礎張り

蜜蝋塗りや針金通し、巣礎張りなどの準備は、冬の期間にやるといい。釣りの擬餌針をつくるのと同じように、ミツバチとの知恵比べのわくわく仕事である。子どもたちにも手伝わせながら、家族で、村の仲間で酒でも多少飲みながら!?

「これなら、日本ミツバチがよくなついてくれるぞ」「駆除されるはずだったミツバチが、この巣のおかげで畑の受粉もしてくれるし蜂蜜をたくさん集めてきてくれる!」「私はさらにこういう工夫をしてみた……」など話しながら、蜜蜂飼育の楽しみと技を伝えていきたいものである。

❶ 移植先の現代式縦型巣箱と元巣箱

移植先の現代式縦型巣箱（以下、新巣箱という）は、巣底用敷石（水浸透性コンクリート）の上にクロス棒つき半枠箱、枠箱を重ねて、作業中ずれてミツバチが出ないように布のガムテープなどで固定する。半枠箱に、移植後一定間隔（翌日の夕方遅くまで）おいて蜂群が落ち着いたら一、二日ごとに二〜四回給餌するので、前もって壁板のネジをゆるめて、後面か横面のどちらか一面をはずせるようにしてからガムテープで仮止めしておく。

4-12　準備ができた巣枠

準備ができた新巣箱は元巣箱のあった位置に置く（写真4—13）。入り口も可能な限り元あった位置に近づける。これは、外勤から戻った働き蜂が記憶に頼っているので入りやすくするためである。

新巣箱の出入り口の前に、蜂群を（散らばせないよう）振り落としてためるダンボール箱を置き、巣穴側の面は切り取って巣箱とのすき間がないよう、ガムテープで密着させる（写真4—14①、②）。

元巣箱は、この例の場合リンゴ箱に自然巣ができ、ミツバチがびっしり群がっている。巣脾の切り出し作業はリンゴ箱をひっくり返して行なう（写真4—15①）が、ミツバチに陽が当たり続けるとストレスが大きいので、上半分ほどに別の空箱（この箱を前もって縦型巣箱にして移植先の底箱にすると、蜂の追い込み作業の、手間が一つ省ける）を伏せて日陰をつくり、蜂がそちら側に退避できるようにする（写真4—15②）。

2 ヨモギ、ハーブで蜜蜂を退避

ヨモギの若葉（ドクダミ、ハーブでもよいが、夏を過ぎるとドクダミはにおいが落ちるので、ヨモギのほうが効果的だ）を用意しておいて、少しもんでから来て欲しくない境界にこすりつける（写真4—16①）。ミツバチたちが驚いてあらぬ方向に散り散りになるのを防いで、ある箇所にとどめておく効果があり、大変便利な方法である。

こうしてミツバチが日よけ部分に集まるように〝結界を張って〟反対側の縁をトントンと叩いてやると、ミツバチは見事にそちらのほうに移動していく（写真4—16②、蜂ブラシで少しやさ

現代式縦型巣箱への移植作業の実際

ミツバチにかかるストレスを少なくし、移植後すぐに巣づくり、産卵・育児を開始できて、かつ管理しやすい巣ができる作業ポイントを紹介します。

（1、2…は、本文見出しと対応）

1 移植先の現代式縦型巣箱と元巣箱の準備

4-13　元巣箱の位置に移植先の新巣箱を置く

●新巣箱の前に「蜂溜め」を置く

4-14②　巣箱と密着させる

4-14①　出入り口前にダンボール箱を置き

●元巣箱の蜂群（逆さに置いた状態）

4-15②　巣箱で日陰をつくって退避場とする

4-15①　巣に群がっている

2 ヨモギ、ハーブでミツバチを退避

4-16② 箱をトントンと叩いて退避場（上に伏せた巣箱）に退避させる

4-16① 巣から蜂を追って退避させる
ヨモギの葉の汁をこすりつけて「結界」をつくる

4-17 蜜刀を湯で温める

3 自然巣の切り出しと整形

4-18② 持ち帰り用の容器に蜜巣を分け入れ、ふたをする

4-18① 端の小さい巣脾から先に切り出す
ほとんどのミツバチが退避した状態で作業するのがよい

3 自然巣脾の切り出しと整形（続き）

●移植用の巣脾

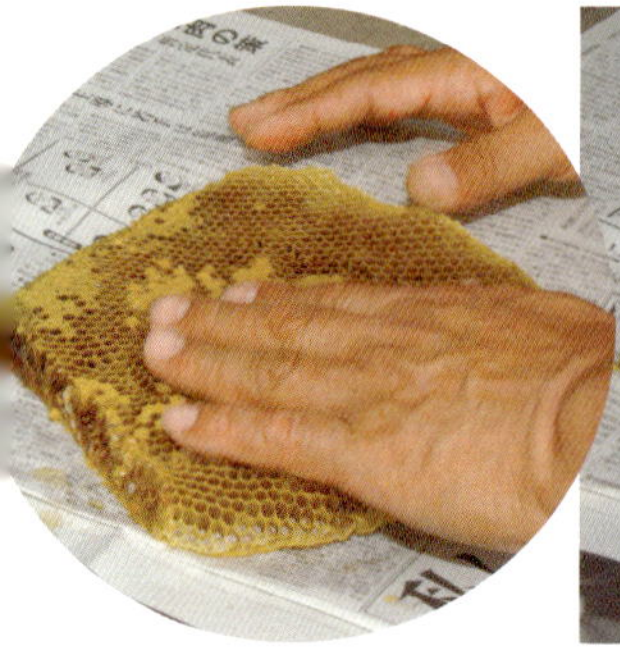

4-19③　手のひら全体で押して平らにする

4-19②　曲がり部分に切れ目を入れる

4-19①　切り出す

4 巣枠への固定と新巣箱への移入

●巣枠への固定

4-20②　垂直方向に輪ゴムをかける

4-20①　水平方向の針金を巣脾の中心に埋める

●自然巣脾を新巣箱へ

4-21②　ついてきた蜂は蜂溜めの箱にそっと落とす

4-21①　枠箱に入れ、そのつどふたをする

5 女王蜂の確保

4-22 ③　枠箱に入れる

4-22 ②　移植作業が終わったら未交尾かごを巣枠につける

4-22 ①　見つけ次第、未交尾かごに確保して蜂溜めへ

6 新巣箱への蜂の移動、追い込み

4-23　蜂溜め箱から新巣箱の前に放す

4-23　退避していた群れを素手で蜂溜め箱へ

7 新巣箱への給餌、保温など

4-25　ふたをして、保温対策を行なう

4-24　人工巣脾に蜂蜜を塗り入れて給餌
1 枚に片面 200 ～ 250 g まで入る

しくふれて誘動してもよいし、ペパーミントなどのガムやお菓子〈清涼剤〉を口に含んで息を吹きかけてやるのも効果がある)。

なお、移植先の新巣箱にもところどころにヨモギ汁の処理をする。壁板の上面に塗って、上がってきた日本ミツバチを作業中つぶすことのないようにしたり、ダンボールのへりに塗って、それ以上外へ出ていけないよう境界線を引いたりするためである。

ヨモギ、ドクダミ、ペパーミントのガムの息の効果は五〜一五分くらいだが、作業中に安全地帯へ追ったり、一定の箇所にとどめておいたりするときにはとても有効である。

3 自然巣脾の切り出しと整形

蜜刀は、つねに蜜を拭き取りながら熱い湯に常時浸け洗いして使用し、巣脾を切り取りやすくしておく(写真4―17)。

前述のようにミツバチを追って退避させて、巣脾を露出させ、端の巣脾から切り取りにかかる(写真4―18①)。端のものやいびつな部分は移植には使えないので、持ち帰って巣蜜用か蜜蝋用に使う。これを放置すると、においで他の群れの蜂が寄ってきて、盗蜂が起こる危険があるので、すばやくふたつきの容器に入れる(写真4―18②)。

蜂児がいて蛹もある大きめの巣脾を移植に使う(写真4―19①)。縦型のプラスチック巣枠にちょうど収まる四角形分がとれればベストであるが、多少の欠けやくぼみはできてもよい。

巣脾の天井側は厚すぎることが多いので、そこを避けて少し下から切って使う(貯蜜部分は大きくふくらんでいるのでよける)。

また、巣脾がよれていると、巣箱に入れたとき、すき間が曲がりやすいので、少しでも平らにする。切れ目を入れて掌で軽く押すと、平らになりやすい(写真4―19②、③)。出っ張りは切り取る。

巣枠に納めるときは、可能な限り元巣に付着していた順や向きを大切にして巣穴の六角形の角が天地方向に向くようにする。巣脾に巣枠をあてがってみて、ちょうど入る大きさに切る。上と左右はまっすぐに切るが、下側は曲線となってすき間ができてもよい。なお、ここでも切れ端などは、すぐに容器に入れてふたをする。

育児部分の巣はお酒やアルコールに漬けておき、後ほど産卵促進剤として利用する。

4 巣枠への固定と新巣箱への移入

水平方向の針金にそって、巣脾の中心部までカッターや蜜刀を使って切れ目を入れ、巣脾を壊さないようそっと掌全体で圧迫し、針金を中心部まで押し込み、それが落ちたりずれないように上から針金で固定する（写真4―20①）。巣の重みでずり落ちないように、もともと針金部分を少し引き下げぎみにずらしながら、切れ目はやや下加減に入れるとよい（巣が針金の反発力で持ち上がる格好にする）。

垂直方向の針金は、枠の上下にある切り込み状の小溝の位置で、巣脾の裏表を巻くように張って押さえを効かせる方法が基本である。もっと簡便にできる方法として、輪ゴム利用がある（写真4―4―20②）。二つの溝の位置に掛けるだけですむ。ゴムの弾力で、巣脾のズレを抑えられる。その後ミツバチが、蜜蝋で一～三日以内に巣脾を枠にくっつける。数日後には、輪ゴムをかみ切って落としてくれる。

巣脾を固定した巣枠は、そのつど新巣箱へ入れ（写真4―21①）、においがもれないようすぐにふたをする。巣脾などについたミツバチは、新巣箱前のダンボール箱内にそっと落としてやる（写真4―21②）。

巣箱や器具などに蜂蜜がつくと、他の巣箱のミツバチがくるから、水ぶきんで拭き取りひんぱんに手を洗う。また衛生上、巣脾の切り取り作業の真下に厚めにひいた古新聞は、蜂蜜で汚れたらすぐにめくって新しい面にしていく。

5 女王蜂の確保

女王蜂は自然巣中では見つけにくいが、よく目を凝らし、発見したらすぐに王かごに入れ、ダンボールの群れの中に置く（写真4―22①）。これで、だいぶミツバチが落ち着く（必ずしも見つけなくても他の方法はある）。

その後、王かごは、移植作業が終わったらプラスチック巣枠に針金などで取り付けて、ほかの巣枠と一緒に中心部の育児枠の隣りあたりに入れておく（写4―22②、③）。女王蜂は、可能であれば翌日までかごから出さない。働き蜂が混乱すると、女王蜂を攻撃することがあるが、女王蜂が元気で落ち着いていれば女王物質をたくさん出すので、働き蜂も落ち着き、群れの統制がとれる。だから、女王蜂の生存を確認できるように、王かごに入れて観察する（未交尾かごでもＯＫ）。

翌日になって、女王蜂が元気で、また、たいていの働き蜂が養育すべき蜂児の世話をし始めていればまずは安心なので、王かごから出して、巣内を自由に移動して産卵できるようにする。ただし、巣内が本当に安定するまでは何かのひょうしに逃げ出すこともありえる。だから念のためハチマイッターを一週間つけておく必要がある。

6 新巣箱への蜂の移動、追い込み

元の巣箱の暗所にたまっている蜂群を新巣箱の出入り口前のダンボール箱に移す（写真4―23①）。素手または薄手のゴム手袋で掬《すく》うか、お椀、ボール、ちりとり、ビニール袋などを使って、そっと移してやる。蜂群を扱うとき、ふ化後間もない若蜂は飛べないので、強く振り払って、地面に落とすことなどないように（巣内に入れなくなったり、ケガをさせたりするので）、蜂ブラシを使ってやさしく移動させる。

ダンボール箱から新巣箱へは、人が強制的に入れてやるより、自分たちで選んだすみかとして入っていくようにしたい。そこで、いったんダンボール箱から巣箱の出入り口前にやさしく追い込んでやる（写真4―23②）。ワーッと落とすのでなく、自分で降りていくように、ダンボール箱を巣箱のほうへ傾け、軽くポンポンと叩いてやるのである。

中に女王蜂がいて、群れが出入り口の前にかたまりになれば、いずれどんどん入っていく。あまり飛び立たせてしまうのはよくないので、くれぐれも手荒にしないことが肝心。ヨモギで追い立てたり、ペパーミントの息をかけてみてもよい。

7 新巣箱への給餌、保温など

新巣箱には、人工巣脾に蜂蜜を塗り込んだ蜜枠で給餌できる。巣穴に蜜を入れるには、巣底と巣壁がはく離しない程度の力加減で注意しながら四〇℃くらいに温めた蜜を指でなで込むようにして、中の空気を抜くようにしながら入れるとよい（写真4―24）。巣枠が少なくて箱内にすき間ができるとき、人工巣脾の蜜枠を入れて間隔を埋める。

移植した巣脾が一〇枚以上と多い場合は、大量の給餌が必要なので、上に一段足して、人工巣脾の蜜枠を入れてやる。なお、最下の半枠箱からの給餌器による給餌は、移植後の翌日夕方に行なう。移植直後で、蜂群が落ち着きをなくしているときに底部から給餌すると、ミツバチがおぼれることがある。また、ミツバチが溢れるくらいいるときも、巣底近くにぶら下がっているので気をつける（ハチマイッターは装着したまま）。

　以上の作業がすんだら、上段の巣枠の間にのみ蜂漏れ防止棒を入れてふたをし（写真4―25）、その上に保温用発泡スチロール木板、トタン板をのせて、石などで重しをする（ロープでくくってもよい）。

横型巣箱からの移植の実際

簡単な横型巣箱からの移植

　第2節で述べたように、分封群の捕獲には巣枠を入れた横型巣箱（二階建て式）が最適である。そして巣枠式の、横型巣箱から縦型巣箱への移植は、自然巣の移植よりはるかにやりやすい。次のようなメリットを活かして移植を行なう。

①女王蜂を発見しやすいので、確実に王かご（未交尾かご）に収容でき、蜂群が落ち着いた状態で作業できる（写真4―26①）。
②巣枠を引き出すとミツバチがびっしりついてくるが、整然と落ち着いているので、新巣箱への移住が、ミツバチに対しやさしくできる。新巣箱前の蜂溜め用のダンボール箱に、巣枠からミツバチだけを軽く振って落とし（写真4―26②）、最後に残る飛べ

横型巣箱からの移植のメリット

4-26 ①　女王蜂が確認しやすい

4-26 ②　蜂溜めに落とし込みやすい

4-26 ③　半分に切ればそのまま縦型の巣枠へ固定できる

4-26 ④　平らで四角の巣脾が得られやすい

新巣箱は外勤蜂が入りやすくするため、元巣箱の位置に置く

4-27 ①　元巣箱のあったところに、

4-27 ②　新巣箱を置く

ない若蜂は蜂ブラシでそっと降ろしてあげる。

③巣枠にできている巣脾には、巣礎から築いた巣、人工巣脾、移植した自然巣の三タイプがある。いずれもきちんとした横長の巣脾なので、半分に切るとそのまま縦型の巣枠に取り付けられる（写真4―26③）。

④自然巣よりも巣脾のよじれやふくらみが少ないため（写真4―26④）、作業が楽であり、かつ巣と蜂児・幼虫・卵・蜂蜜をムダなく移せる。ただし、この大きなメリットを活かすためには、トラップを設置する段階と飼育中のメンテナンスによって、移植を念頭に入れた巣脾間隔の最適化、平らな巣づくりをしておかねばならない（Ⅲ章42ページ、Ⅳ章70ページ参照）。

⑤元の巣箱は、すでに二ヵ月〜半年くらい飼っているものを使うので、ミツバチはその場所をわがふるさとと記憶している。したがって、新巣箱は必ず元の巣箱の場所に置いてやり、初めての外勤蜂が入りやすくする（写真4―27①、②）。

⑥元群が大きく、縦型新巣箱に移植しても巣脾にゆとり（余り）が出る場合、巣脾を他の横型巣箱の群れの強化に使える。産卵・育児が低下するなどして弱った群れに、蜂児の入った巣脾を入れてやると回復が非常に早い。

横型の巣脾の切り分けと固定

移植作業の基本的な流れは、自然巣の場合とほぼ同じである。以下、横型巣枠からの移植の特徴点について、写真を中心に紹介する。

❶巣脾の調整

横型の巣脾枠に縦型の巣枠を当て

巣脾の巣枠への固定

4-28 ① 水平方向の針金を巣脾の中心に埋める

4-28 ② 垂直方向に輪ゴムを掛ける

て、納まるサイズを確かめて半分に切る。このとき、巣礎枠にできた巣と自然巣移植の巣には、固定した針金が張られている。とくに水平方向の二本は必ず入っているので、確認して正確に鋭利な大型のクロム製黒色のカッターを使い、針金のところは強めにいっきに突き込むようにすると切れる。ついで、巣枠の内側に沿ってカッターを入れていき、巣脾を切り離す（蜜刀でもよい。温めるとよく切れる）。

❷巣枠への固定

切った巣脾の巣枠への固定は、自然巣の場合と同様に、水平方向には二本の針金（もともとある針金は無理に引き抜かないこと）を埋め込み、垂直方向には輪ゴムを掛ける（写真4―28①、②）。

巣礎からの巣の場合、プラスチック枠の両サイド下方につけられている小さな二枚羽根「巣脾支え」に、巣礎の両側下端を挟むと、上下のズレがなくなり安定する。

❸人工巣脾の場合

人工巣脾は、周りのアルミ枠ごとニッパでアルミ部分を左右半分のところで切り、巣脾部分はカッターでまっすぐ慎重に切断する（数ヵ所タッカーで止めるとさらに安定する）。

人工巣脾をプラスチック巣枠へ固定する場合は、水平方向の針金は不要である。アルミ枠の上部に、プラスチック巣枠へ固定するためのベロを設けてある。プラスチック巣枠は表裏二枚の張り合わせ構造でありボルトで止めてあるので、これをゆるめて開き、アルミ枠のベロを挟んでふたたび締めつけて固定する。また、プラスチック巣枠の両サイド下方の「巣脾支え」は、人工巣脾の下端がくる位置に設けてある。二枚羽根を上向きL字型に折り返して、人工巣脾の下端を乗せて、大きいタッカー針で止める（Ⅲ章53ページ、写真3―19②）。

垂直方向はゴム輪か針金を掛ける。

巣枠式横型巣箱からの移植の場合も、自然巣からと同様、最低一～二度は数日中に給餌するほうがよい（前記84ページ参照）。

縦型巣箱の保護
―強風対策

縦型巣箱は横型のものより風に弱いというマイナス面がある。風の強い時期とか地帯ではとくに杭をすぐそばに打ち込んでそれに縄を張って固定するとか、壁や樹木に横づけするなどの対策をする。杭は一本でも効果があるが、二本で挟めば完璧である（四国、九州などの台風が強い地域）。

愛情を基本に、ミツバチを守るためのアイディアを皆さんもいろいろと出していただけると嬉しい。

5 現代式縦型巣箱への定着とフォロー

移植翌日の観察とフォロー

移植の翌日には、可能なかぎり朝から群れの状態を観察する。前記リンゴ箱の自然巣を移植した縦型巣箱の例で見ていく。新巣箱にミツバチが定住できるかどうかは、次のようなことから判断できる。

①出入り口に置いた蜂群がすべて巣箱に入って、防衛係の蜂が数匹で警戒にあたっている。蝋クズやごみ出しをする働き蜂が数匹見られる。これは新巣箱をひとまず落ち着き先と認識した状態だ。

②女王蜂は未交尾かご（王かご）内で元気にしており、働き蜂が未交尾かごを出入りしている（かごの窓のすき間は四㎜）。女王蜂とのコミュニケーションを充分とっているので、一家の統制がとれていく方向である（写真4－29）。こういう状態であれば巣内に女王蜂　を静かに解放する。

4-29　**移植翌日の観察**　未交尾かごに働き蜂が親しげに出入りしている様子が観察されればよい

4-30　**移植 10 日～１ヵ月後の観察**　貯蜜･産卵･育児（写真は人工巣脾枠）

③人工巣脾で与えた餌が減ってきている。これは働き蜂が蜂児のいる下段の巣脾へと餌を移動させているためで、育児意欲の出ていることの現われである。さらに、育児にとって蜜とともに必要な花粉集めが行なわれていれば、定着の可能性が大きくなる。花粉集めは午前中に活発なので確認する。どんどん花粉が運び込まれていると(一分間に一〇匹以上)、ハチマイッターを取り外すタイミングである。女王蜂が産卵を再開したか、いまにもしようとしているものと判断できる。移殖状況によっては三～七日かかるときもある。

移植一〇日～一ヵ月後の観察とフォロー

縦型巣箱では、下段を産卵・育児圏、上段を貯蜜圏として、上段で採蜜を繰り返すかたちにもっていきたい。写真4‐30の巣箱は自然巣からの移植一ヵ月後、またはその途中の段階である。

人工巣には確実に蜂蜜がためられて、重くなっている。たくさんの働き蜂が集まって蜂蜜の濃縮活動をしており、濃縮が完了した巣房にはふたがけがされている。

いっぽう、自然巣の巣脾では、上方に貯蜜され、中央から下にかけて育児が盛んに行なわれている。女王蜂を確認でき、卵から若幼虫、老熟幼虫、蛹と、途切れずに見られるのは、安定して女王蜂が産卵力を発揮している状態である。

自然巣を正方形の巣枠に組み込んだことによって、日本ミツバチの典型的な球状の巣脾構造(第Ⅱ章28ページ参照)となっている。巣脾を覆うようにミツバチがいる状態だと、一枚の巣で片面約五〇〇〇匹、両面で一〇〇〇〇匹となる。

夏以降、働き蜂の数が少ないときは、積極的に給餌する。底の半枠箱からの給餌器による給餌や巣門給餌器、枠式給餌器などをメインにして、人工巣脾の蜂蜜が不足のときには、補給してやる。

なお、移植時期が遅いと、冬期までの活動期間が短く巣脾を増やすのにも限界がある。そういうとき人工巣脾は威力を発揮する。冬越し直前、ミツバチの数が少ない場合は、二段重ねの上段を外してコンパクトにし、室温維持の負担を少なくしてやるとともに、蜂蜜給餌を数度行なう。

V章

現代式縦型巣箱で飼う日本ミツバチ

―四季の飼育管理

1 日本ミツバチとの接し方

観察や作業をするとき、ミツバチを驚かせたり、傷つけたり殺したりすると、「騒ぎ」が起こり、これが逃去などトラブルの引き金にもなる。「森の自由な民」日本ミツバチは西洋ミツバチよりもデリケートで、人の不自然な管理によるストレスを感じやすい。日本ミツバチにやさしい飼い方は、おおむね西洋ミツバチにとっても当然、非常にやさしい管理といえる。よりよい群れをつくり、採蜜成績を高めることができるように、次のような基本を守って日本ミツバチに接していただきたい。

ハーブ効果で落ち着かせる

そのために、前章で述べたように、ミツバチがひるむ（著者は「脅えモード」に入る、と呼んでいる）においのするヨモギ（写真5―1①）、ドクダミ、ペパーミントなどのハーブの葉をしぼって、汁液を箱のふちなど作業中にミツバチを潰す危険のある場所やじゃまになるところに塗り込み、「結界」を張って寄せつけない（写真5―1②）。ドクダミはその中でも日本ミツバチにやさしいようであるが、効き目の持続時間も少ない。

塗るとき、スーッといっきに塗るとミツバチを押しつけたり足を引っ掛けたりしやすいので、葉をつまんだ指は小刻みに行ったり来たり動かしながら、ミツバチがその場から逃げやすいように配慮して行なう。

また、作業する巣脾などから追ったり、攻撃態勢を解除したり、外に飛び立つのを防いだりするには、ドクダ

5-1 ② 葉をつまんで汁液を絞り出し、小刻みに塗りつける

5-1 ① ヨモギやドクダミなどで「脅えモード」に

ミヤヨモギをかんで息を吹きかけるのも有効だ。人に向かってこなくなることてきめんである。二つの刺激、すなわち「におい」と「衝撃」（吹きかけるときにぷっぷっとする破裂音）で「脅えモード」になり、おとなしくなるからだ。その香りとともに起きる一連の行為がさほど巣に対してダメージのないままに繰り返されていると、この人にされることはクマなどと違って害がないと判断するようになるようだ。

ドクダミ塗布の効果は五〜一五分ほどである。消えたら塗り直すが、巣を開ける作業時間を五〜一〇分以内にとどめるようにして、てきぱきとかつ安全に行なうこと。ふたを閉めるときにも、ドクダミ息をかけて脅えモードにしてから行なうと、無用にミツバチをつぶさずにすむ。

巣枠の上げ下げは秒速一〇cm以下

「いーち」（一秒）で一〇cm、このスピードだとミツバチがあまり驚かない（写真5―2）。降ろすときには、指先端の感覚を研ぎすまして、蜂に当たっていないことを感じながら行なう。とくに産卵中の女王蜂を挟み込んだら大変である。素手で作業し、魚の手づかみと同じ感覚でゆっくり下ろし、アッと思ったらすぐ止めて、また上げる、を繰り返してゆく。

作業者同士、巣枠を受け渡すときは、「渡しまーす」「受け取りました」と声を必ず掛け合うようにする。うっかりして落としでもしたら大変である（蜂がかわいそうだ）。

巣枠についているミツバチをつぶさないように気をつけ、巣枠を持つときは三本の指を使ってしっかり持つ。万一刺されてもあわてて巣枠を離さないで静かに置き、それからすばやく針を抜くこと（詳しくは後述）。

5-2　巣枠の上げ下げは秒速10cm以下で

飛行、帰巣ルートを妨げない

花蜜や花粉を集めて戻ってきたミツバチは、巣の手前で降下して、歩いて巣門に入ることも多い。そこで、重い運搬物を持ったミツバチが着地しやすいように、巣箱の前に滑走路のようにベニヤ板などを置いてやる。また、離発着の飛行ルートのじゃまにならないように、巣箱の前方、扇状に二mくらいは人が立たないようにして作業するべきである。

刺されないために、刺されたときは

日本ミツバチは、急に驚かされたり、押さえつけられたり、仲間がつぶされたりするなどのよほどのことをしないと人を刺さない（写真5―3、Ⅰ章19ページ）。だから、このミツバチには安心感を与えることが基本で、巣箱の近くではゆっくりと動く。服装は74ページで紹介しているとおり、できる限り白いものを身に着け、髪の毛は帽子で隠すようにする。

5-3　おとなしい日本ミツバチ

白い服を着るのは、自然界にあまりない色のせいか、あるいは雪を連想させるためか、昆虫は全般的に白い色に敵対反応が鈍く、ミツバチもあまり攻撃的にならない。ミツバチは乱視なので、比較的コントラストの強いものに反応する。ただ、いくら白に反応が鈍いといっても、逆に夕方以後は白が浮き上がって目立つので、敵意はなくとも蜂が寄ってくることがある。遅い時間の作業は慎んだほうがよい。

逆にミツバチが反応するのが黒。黒は、クマによって巣を破壊されることが多いので攻撃本能が甦るためか、人を襲いやすくなる。においの強い香水とかヘアクリーム、きらきら光る装飾品も避けたい。

蜂は脇の下などにもぐり込みやすいので、長袖長ズボン、長靴は基本的なスタイルだ。長靴がないときはズボンのすそを靴下に入れて下から入り込まれないようにする。面布は帽子に密着させること（靴下も黒っぽいものは避ける）。

たまたま日本ミツバチが刺したとき、毒嚢袋のついた針が残る。これを指でつまんで抜こうとすると、かえってポンプを押して注入するようなもので、腫れがひどくなることがある。また、仲間に、敵を知らせる集合フェロモンも出しているので、集団での二次攻撃が起こることもある。

そこで、袋つき針は、木肌などざらざらしたものに針の刺さった逆方向に軽くこすりつけるなどして抜くとよい（トゲ抜きもよい）。なお、刺されたところにはヨモギ汁を塗るとよい。蜂毒は酸性なのでアルカリ系の成分で中和される（ヨモギ、アンモニア水）ようだ。

都会で飼う場合の注意

都会には、クマやテンなどの害獣もいないし、スズメバチが少ないし、農薬散布が非常に少ない。関東以西の都会では年中花が咲き、流蜜があるなど、まことにミツバチの生息に適している。しかし、都会で分封《ぶんぽう》や逃去《とうきょ》を起こしたら、問題は大きい。すぐにすみついて巣づくりする場所があればまだしも、落ち着く場がなく、空中を乱舞したり蜂球になってぶら下がったりしていれば、大騒ぎとなり、駆除されるか、いずれ餓死するしかない。

町の中で日本ミツバチ養蜂を希望する人は、日本ミツバチに適合する居心地よい家（巣箱）を用意し、適切な管理をして逃去を防ぐなど、一定レベルの技術が要求される。また、春から初夏にかけ、花がどんどん盛りになると、巣にミツバチがたくさん増える。すると育児スペースがなくなるので、新女王蜂生産のため王台をつくって分封の準備を始める。観察によって、その兆候をつかみ、巣枠を加える、あるいは枠箱を上に増やす、人工分封で先手を打つ、などの知識や技術が必要となる。適宜「養蜂インストラクター」に教わるのも必要である（養蜂教室も開催されている）。

また、ミツバチの糞害は付近の住人とのトラブルの原因になる。働き蜂は、冬明けに硬くなった蜂蜜をやわらかくして蜂児に与えるためや、扇風冷房のためなどに、巣箱の近辺から水を汲んでどんどん運び込む。そのとき、身を軽くするために花粉を含んだ糞を排出する。白い洗濯物や車や壁めがけて落としやすい。近所に迷惑をかけないために、水飲み場（Ⅲ章62ページ）を巣箱のある敷地内に設けたり、巣箱から五m以内に、支柱数本を立て、シーツなど白布を直角に張ったものを立てると、ネコのトイレのように白布に糞をするので、糞害防止効果が大きい。なお、最近は花粉をよく洗い落とせる洗剤もある。いずれ、トラブルは広がる前に解決するよう対策をたてておき、洗濯代等すみやかに対処しよう（役に立つ虫であることも伝えて共感を得たり、蜂蜜の小ビンを持参しておくこともよい）。

2 現代式縦型巣箱での蜂群の観察

観察の注意――女王を探さない

現代式縦型巣箱は、巣枠を抜き出して、蜂群の状態、産卵・育児と貯蜜の進み方などを観察できて、適切な管理を行なえることが大きなメリットである。

とはいえ、あまりたびたび開けて、抜き出して見るのは、日光や寒風にさらすことになり、日本ミツバチにとってストレスになる。基本的には開けずに、外から見てわかることはできるだけ外から判断する。開けて見るのは日本ミツバチの場合、四日から一週間に一回程度としたい。西洋ミツバチは二日に一回、あるいは毎日でも見る人がいるが、西洋ミツバチにも本来はよくないことだ。

さてそのうえで、巣枠を出して見るのは短時間とし、女王蜂を探すことを〝絶対視〟しない。女王蜂がいるかいないかは、産卵がきれいにされているか、生まれて三日以内の蜂児がいるか、花粉がよく入っているか、正確な産み方をしているか、無精卵を産んではいないかなどで判断する。

よい群れのサイン

●シマリング　巣箱に何かが近づいたり、開けたりするなど外からの何らかの刺激があるとき、ジューッ、ジューッという音を出す。これは、群れがいっせいに羽音を立てて、大きな動物と見せかけるためで、防御のためのゼスチュアである。シマリングを起こすのも、ある程度蜂群の統制がとれ、落ち着いていることを示している。

●落ち着き、騒ぎ　巣箱のふたを開けたとき、あるいは巣枠の上げ下げのとき、ミツバチが右往左往しないのは、落ち着いたよい状態である（写真5―4）。上げ下げを秒速一〇cm以下でゆっくりやってもミツバチがワーッと騒ぎ、巣脾上を激しく移動するのは、落ち着きがなく気が荒い状態である。王台ができている、未交尾女王がいる、女王に異常があって産卵を一時停止している、スムシが発生し始めている、他の群れが盗蜂にきて蜜が減った、スズメバチやアリなどの敵がやっ

5-5　働き蜂が脂ぎってテカッテいるのは女王蜂化

5-4　上を向いて静かなのは統制のとれた状態

てきた直後だ、などの原因を探ってみるべきだ。

また、ふたを開けたとき上にいっぱい集まっているのは、蜂数が多すぎ、分封しやすい状態である。

●ふたを開けたときのにおい　乳酸臭＝乳が少し発酵したような香りがするのが、日本ミツバチのいい群れ（健康）の状態である。スムシが発生していると、蛾のにおい（鱗粉のにおい）がする。

●働き蜂の花粉運搬　一分間に五～一〇匹以上足に花粉をつけ、運び込んでいるようだと、産卵・育児が順調に行なわれており、女王蜂が健在な可能性大である。

●働き蜂のツヤ　脂ぎって黒ずみテカテカしているのは（写真5―5）、働き蜂が女王蜂化し無精卵の産卵が始まる状態で、女王蜂の不在か不良のトラブルが起こっている。群れの崩壊につながるので、注意して観察する。巣の出入り口付近にいるミツバチで見ることもできる。

●オス蜂　春から夏に現われるのは分封のサイン。また、一つの巣房に多数の無精卵があり小型のオス蜂ばかりがたくさん出房するのは女王不在で働き蜂の産卵が起こっていることを示している。

●スムシと天敵　巣を食い荒らすスムシは、ハチノスツヅリガ、ウスグロツヅリガの幼虫で、被害が大きいのは大型のハチノスツヅリガのほうである（35ページ参照）。底箱の巣クズの中にキラキラ光る小さな蜂はウスグロツヅリガに寄生するスムシコマユバチで、巣の食害の拡大を抑えてくれている。

5-6　働き蜂が密集し、蜂蜜や蜂児が多い（巣枠を入れるタイミング）

巣脾と蜂群の内検

●蜂数の多さ　最上段のまんなかの巣脾枠にミツバチが密集して働いているのは、貯蜜・育児が盛んなことの表われで、群れが大きくなっているサインである（写真5－6）。巣枠をさらに入れるべきである。

●産卵・育児の状態　産卵が見られ、さらに大小各段階の幼虫が育ち、蛹があることは、女王蜂の健在を示している。蛹はあるが、幼虫が少なめ、卵がきわめて少ないのは、何かトラブルが起こり始める予兆かもしれない。

●女王蜂の健在　女王蜂がいると群れは比較的おとなしい。働き蜂が女王蜂に頭を向けて女王物質を受け取ったり、産卵によい場所（巣枠中央など）へ押し戻したりするなどの行動は、統制がとれた状態である（写真5－7）。

●蜂蜜のたまりぐあい　光っている新しい蜂蜜と、蜜ぶた（半透明）をされ、濃縮された蜂蜜がほどよくあるのは、貯蜜と育児のバランスのとれたよい状態である。また、給餌した蜂蜜を翌日には蜂児の近くの巣房に移動させているのは、育児が活発なことを示している。いったんたまった蜜房のふたがかじられ始めているのは、餌が不足している状態で、緊急の給餌が必要である。

5-7　女王蜂が健在で、働き蜂が囲むのは統制がとれている状態

3 蜂群の増やし方と採蜜の目標

日本ミツバチ飼育で、蜂群増勢と採蜜成績の目標をどこにおくか。地域や元群の大きさなどによって大きく異なるが、標準的なサイクルを見ておこう。

なお、日本ミツバチが快適に暮らすには、巣枠は最低でも三枚必要である。三枚の巣枠の真ん中に産卵するので二枚では足らない。二枚しかない場合は、他の群れから抜いた蛹枠を一枚入れてやるとよい。

蜂数の目安、サイクル

「現代式縦型巣箱」の場合、一枚の巣枠にミツバチがびっしりついた状態だと、片面約五〇〇匹、両面で約一〇〇〇匹となる。枠箱には巣枠が七枚入るから箱一段で六〇〇〇～八〇〇〇匹程度である。これが二段になると一万～一万五〇〇〇匹の蜂群になる。

春から初夏の元気な第一分封群は五〇〇〇匹とか八〇〇〇匹である。これを捕らえて飼育して、夏には前記の一万五〇〇〇匹くらいの規模にもっていくことが、第一段階の目標となる。

Ⅳ章で紹介したように、分封群は横型二段巣箱で捕らえるのがおすすめであるが、横型二段巣箱で順調に増えると、夏までに巣枠七枚分が満員になる。これがちょうど一万五〇〇〇匹くらいで、縦型巣箱二段分となって、移植の適期となる。

縦型二段、一万五〇〇〇匹の勢いを秋まで維持して、冬越しに入ることが次の目標である。ときには三～四段の強群もある。春までに二～三割ほど減って、一万～一万二〇〇〇匹くらいとなる。そこからスタートできれば、早春から産卵・育児、集蜜の活動が活発で急速に増勢する。

冬越しそのものは、握り拳二つくらいの蜂数（三〇〇〇匹ぐらい）がいれば何とかできるが、一人前の群れになるのに初夏まで蜂蜜を食べ続けるので、分封力も弱いし、採蜜するには負担が大きくダメージになりやすい。

春一万匹以上でスタートできた群れは、初夏に一万五〇〇〇匹～二万五〇〇〇匹くらいに増えて、巣箱が満員となって分封が起こる。そこで、分割（人工分封。104ページ参照）によって、二群にする。一年間で一群増やしたことになり、これが標準的パターンである。さらに、二次、三次の分封が起こるので、採蜜を控えれば、分割によって二群、三群と増やすことができる。しかし、東北など寒冷地では元群プラス二群が限度で、関東から九州などの暖地では元群プラス三〜四群くらいである。

群れの勢いの維持

いっぽう、だんだん小さくなる群れは女王蜂に問題があることが多い。交尾飛行中に西洋ミツバチとも交尾してくることがまれにあるが受精せず、無性卵（オス蜂）を多く産んでしまい、オス蜂が大量に育つ。西洋ミツバチの精子では蜂児に育たないからだ。こうしたことがあると群れが小さくなっていくので、その場合は別の群れと合同させるか、別の群れの蜂児を移虫して人工王台で新たに女王蜂をつくる。よい女王の系統を三つぐらい、箱数で四〜五群もっているとこうした群れの問題をカバーでき、維持管理もしやすい。

しかし、町中ではそんなに多くは飼いにくい。そのために飼育者同士でネットワークをつくり、いざというときにお互いに協力し、優秀な系統の女王蜂（または女王蜂候補の三日齢までの幼虫や卵の入った巣脾枠）の交換などをしながらカバーし合っていくとよいだろう。

採蜜のサイクル

前記のサイクルで、分封群からスタートした場合、寒冷地では夏までに三〜四回ほど、暖地で開花・流蜜が長期に続くところでは秋までに五〜八回ほど採蜜する。岩手県の例では、五月に三・五kg、六月に七・五kg、七〜八月九・五kgの成績がある。東京都心では、四月、五月、六月、七月、八月、九月と毎月採蜜して二八kgという採蜜実績がある。

縦型巣箱の上段の巣枠の七枚一杯に蜂蜜がたまると、重さ約七kgである。これが、一万五〇〇〇匹で冬越しに入る前に必ず貯めさせておきたい蜜量である。この量を目標に、貯蜜状況を見ながら、採蜜回数を加減し、秋には必要に応じ給餌をする。それ以後、採蜜は控える（111ページ参照）。早春のスタートは蜂数一万〜一万二〇〇〇匹、蜜量三kgぐらいになっているのが理想である。

4 四季の飼育管理

真冬
シーズン前の準備期間

巣箱や巣脾枠の準備と給餌

真冬は、巣箱の修理や、トラップ用巣箱の準備（黒砂糖、焼酎、蜜蝋を巣箱内に塗る）、巣枠へ巣脾の固定用の針金張り、蜜蝋塗りなど準備（Ⅳ章75ページ参照）をするのによい時期である。春から始まる増勢、分封捕獲、採蜜などを楽しみにイメージしながら、作業を進めたい。

関東以南のいわゆる暖地では早くも一月下旬から順調な産卵を始める群れがあり、二月初旬には産卵・育児が活発になる。この時期の育児は晩秋までに貯めた蜂蜜や花粉を消費しながら行なわれ、外には花の蜜や花粉が少ない時期である。それぞれ給餌してやると、後々の蜂群の伸びがよい。

ただし冬は、貯蜜状態を見るためにいちいち巣箱を開けて寒風にさらしたくないので、巣箱の重さで判断する。それには、あらかじめ基準となる重さを測って覚えておくとよい。

たとえば、蜂蜜が一段分たっぷり入ったときの二段巣箱全重が一七kgと覚えておく。巣箱一段に入る蜜の重さは約七kgなので、箱全重が約一〇kgならほとんどなくなっていると判断できる。この重さをからだで覚えれば、毎回測らなくてもだいたいつかめるようになる。

給餌は、人工巣に精製蜂蜜を塗り込んで与えると、蜂病のうつる心配もなく作業も楽で、ミツバチも飲みやすい。その場合、精製蜂蜜は少し温めて（四〇℃前後）塗ると、巣穴に入りやすい。そうしないと、冷えたとき、中の空気に押し出されこぼれ落ちる。

早春になると、硬くなった蜂蜜を溶かすために水汲みが多くなり、前述した脱糞が増えるので、その対策を準備しておく（白布設置など。95ページ）。アクのある有色蜂蜜、たとえばソバやクリ、セイタカアワダチソウの蜂蜜を食べたミツバチは脱糞も多い。

三～四月
一年のスタート、蜂数を増やすために

給餌と産卵スペースの補充

三月初めには東北など寒冷地でも産卵・育児が順調となる。蜂児が増えると、花粉や蜂蜜が不足することがあるので、手早く給餌をする。産卵・育児を進めるための糖液は、四〇℃程度の温水で五〇％に薄めたものを少量ずつ（五〇〇ccくらい）回数多く与えるとよい。

花粉が足りないときは代用花粉キナコ（57ページ）を与える。よく乾燥したものをボールに入れて、雨風の当たらないようなガラスやプラスチックの囲いをつくり、その中に設置する。一群では二～三日で一〇〇～二〇〇gくらい持ち込むようだ。花粉と同じく器用に丸めて後ろ足につけていく。三、四月に与えても蜂児はそんなに増えないが、ミツバチはものすごく喜び、花蜜を集める行動が早まる。同時に市販のビーハッチャーを巣箱内に与えてもよい。春のウォーミングアップ効果を期待して与える。一パックで五〇〇匹ぐらい増数するデータがある。

ウメからサクラ、野の草花など開花が多くなると、貯蜜、貯花粉部分がどんどん増え、いっぱいになると産卵スペースがなくなる。そこで、上段に枠箱をのせて、育児枠を下の箱から二枚ほど移し、人工巣脾枠で挟むように設置する。そこに女王蜂がやってきて産卵し蜂児圏が広がる。やがてそこの蛹が羽化して巣房が空くと、今度は蜂蜜がためられて、貯蜜圏が増えていく（育児枠を抜いた下段のところには、少し蜂蜜を塗り込んだ人工巣脾を挿入するとよい）。

内検のポイント

ミツバチと蜂蜜が急速に増えていくべき大事な時期なので、それが順調に進んでいるか、天気のよい暖かい日の午前中に内検を行なう（午後に内検して蜂を飛びたたせると、巣箱に戻れず凍死する働き蜂が出やすい）。

そのポイントは、

①産卵・育児が順調に進んでいるか。
②蜂蜜が二枚以上の巣脾にぎっしりと入っているか（二kg以上の貯蜜ということ）。
③オス蜂がたくさん発生していないか（無精卵＝女王不在の兆候）。時期はずれの小さめのオスに注意。
④女王蜂が元気でいるか（直接目視か卵・幼虫・蛹で判断、98ページ参照）。
⑤下段箱（半枠箱）の底にごみ（巣房

などの削りカス）がたまっていれば掃除し、その後熱湯処理をする。

五〜六月
分封抑止、採蜜、分割、女王更新

採蜜の開始

五月にはリンゴ、菜の花、タンポポなどが咲き、集蜜・花粉集めも最高潮。去年からの働き蜂は今年生まれた働き蜂に更新され、蜂児圏・貯蜜圏とも最大になってくる。いっぱいになると分封の動きが始まるので、タイミングが遅れないように巣枠（場合によっては巣箱も）を補充して産卵と貯蜜スペースを与える。

初夏のミツバチは蜜蝋をたくさん出すので、巣礎枠も挿入し、巣づくりをさせるのがよい。そのタイミングは、クリやシイの木が咲き出すころからがよい。貴重なユリノキやニセアカシアの蜜は搾らせてもらい、そのあとの蜂蜜で蜜蝋を分泌、巣づくりさせるというもくろみだ。巣礎枠を入れるのは、巣づくりをさせて、産卵・育児スペースを広げることで、分封熱（後から後から王台を多数、とめどなく育成し始める現象）を冷ますねらいもある。

五月下旬ころから、本格的に分封が始まる。また、この時期には順調なら一回目の採蜜ができるはずだ。逆に、採蜜をこまめにしないと、分封熱が高まってくるので、適度に採蜜してその気運をそいでやる。採蜜は、巣脾枠一枚おきに搾って、半分残しておくいわゆる〝抜き取り採蜜法〟で、これで日本ミツバチも安心し落ち着いていられる。

五月中旬からはトチ、（ニセ）アカシア、キハダなどが次々咲いていき、状況にもよるが中旬には二回目の採蜜が可能になる。

巣礎枠の補充による分封抑止

五月以後盛夏までは、巣をつくりたい欲求を満たせる巣礎枠を挿入してやるとストレス発散になる。働き蜂が溢れ、ムダな巣を頻繁につくったり、巣脾が厚みを増して窮屈そうになっていたりしたら、そのつど巣礎枠を入れて巣房を盛らせる。東北は八月まで、東京では九月まで、九州は十月までが巣盛りの限界である。それ以降は人工巣脾で対応する。これだといち早く巣枠が一枚増やせる利点もある。

このようにして分封を抑止することで蜂群が大きく強勢になり、夏にもスムシやスズメバチなど害敵への対抗力が強くなる。越冬もより楽にできるようになる。

人工分封の作業

5-8 ① **王台部分をハガキ大の育児巣部分と一緒に切り出す**（撮影・山本なお子）

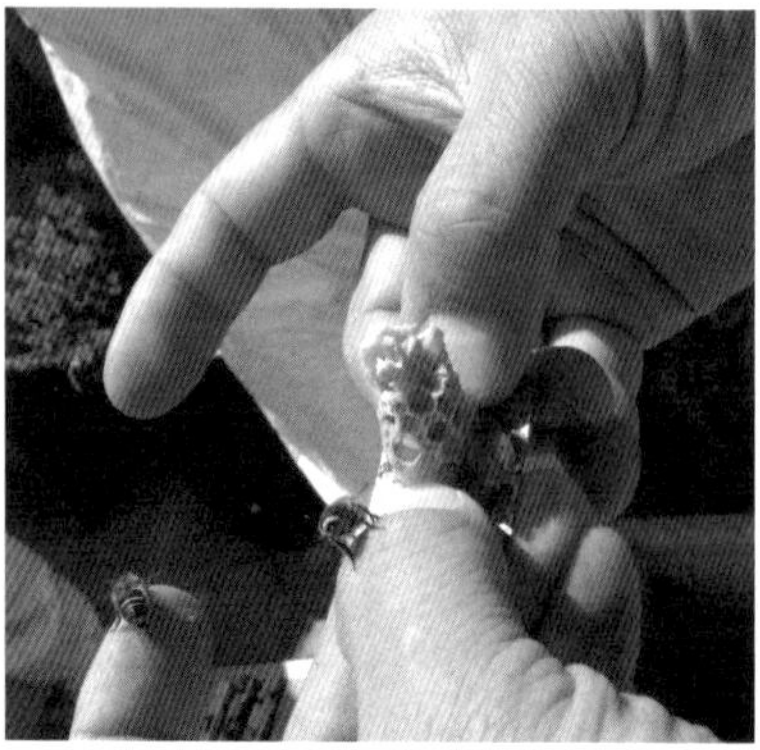

5-8 ② **王台を取り付ける**（写真の王台は初期のもの、撮影・山本なお子）

分封対策としての分割

五月中旬～六月初旬は分封の最盛期でもある。自然分封で増群できればよいが、知らないうちにいつの間にか分封して飛び去ってしまうと、縮小再生産となって損失であり、また他人に迷惑をかけることもある。そこで、人工分封＝分割で一群を二群か三群にする。巣枠式巣箱であれば、王台（女王蜂が育つ特別な巣房。Ⅱ章31ページ）を見つけやすく、適期を判断しやすいので、分割増群がしやすい。

日本ミツバチは巣脾の最下部に王台をつくる。王台の頂部が薄くなったときが羽化間近（あと三～四日で出房）となった成熟王台である。形がよく大きい王台が一～二個ついた巣脾枠を分割群に入れる。王台も若い育児巣部分もない分割群では、すみやかに他群から王台部分やハガキ大の若い（三日齢まで）働き蜂育児巣房部分を切り取って、蜂児の多い巣脾枠二枚の間に挟み込んでやる（写真5―8①、②）。

分割の際、秋までに一万五〇〇〇匹の群れとなることを目標とすると、平均四〇〇〇匹規模、最低でも三〇〇〇匹で出発する必要がある。枠式縦型巣箱の場合、蜂がびっしりついた巣脾枠四枚で四〇〇〇匹である。王台付きの巣脾枠を含めた四枚を新巣箱に移し、その両側を人工巣脾枠に給餌したうえで挟む。巣礎枠で挟んで各種給餌器で給餌してもよい。

巣箱は、分割群を元の位置に、元群を三～五m以上離した場所に移動するか、また二km以上離れた別の飼育場へ移動する。分割された群れでは、ふつう三～五日で新女王が羽化する。その後、通常一～二週間で交尾がめでたく行なわれ、さらにその後ふつう一週間以内に産卵が開始されるものである。しかし、新女王が正常な働き蜂を産んでいるとわかるには、その卵が蛹になったときに、蛹房のふたが飛び出していないことを確認できてからである。それで初めて正常な交尾をした、正常な女王蜂であるとわかり、喜ぶことができる。飛び出した蛹房ばかりであれば無精卵なのでオス蜂だけが生まれてくる。せっかく女王更新したのに、正常な女王蜂ではなかったことが知れる瞬間だ。そうしたら間髪入れず他の群れとの合同を進めるしかない。

女王蜂の更新

元群の女王蜂は元気ならしばらくは継続して使うが、二年目になると産卵力も衰えてくるのがふつうだ。また、分封捕獲した群れの女王蜂が旧女王だった場合には、次の越冬までにいつの間にか死んでしまうことがある。そこで老女王蜂は更新するほうがよい。

人工王台にしろ自然王台にしろ、ふたがけされた王台を、中の蛹に影響ないよう触れないようにして大きく切り取り、未交尾かごのふたの内側に、王台の根元部分の蜜蝋をほんの少し熱して接着する。未交尾かごを空の巣枠の上枠に針金で取り付けて、巣箱へ入れて、働き蜂に育児（食料の供給）をさせる。このとき、旧女王も別の王かごに入れておくと、働き蜂はこの女王蜂にも食料を与え続けるので、新女王の羽化、交尾・産卵開始までの保険となる。

未交尾かごの中に入れた王台から生まれた新女王に外見的問題がないときは、そっと巣内に放せばよい。この新女王蜂は分封せず、必ず数日中に空中交尾をして戻り、産卵を始める。そのとき、王かごの旧女王は幽閉のままか、小さい群れを与えて別巣箱に飼っておくと不慮の事故時の保険になる（別の群れでもOK）。

自然王台を利用した女王蜂の育成・更新は六月下旬までの技術である。女王蜂の飛行は、働き蜂に比べ不慣れでふらふらとおぼつかず、ゆっくりし、大きくて目立つから、交尾飛行中に見つかりやすいし、捕獲されやすい。ツバメ、セキレイ、オニヤンマ、ジョロウグモ等の捕食者が増える前に、終えることが望ましい。

※分割、女王蜂の更新について詳しくは、藤原・村上著『日本ミツバチ―在来種養蜂の実際』（農文協、新特産シリーズ）を参照。

人工王台キャップによる女王蜂の養成

ふ化後三日までの働き蜂の幼虫（乳白色の液体上に浮いている幼虫だけ）を移虫針ですくい上げて（写真5―9）、人工王台キャップに移植すると、女王蜂に育てることができる。人工王台キャップはプラスチック製で（写真5―10）、もともと西洋ミツバチのローヤルゼリーの採取や女王蜂の養成に使われているものだが、利用の仕方の工夫で日本ミツバチの女王蜂の育成にも使える。

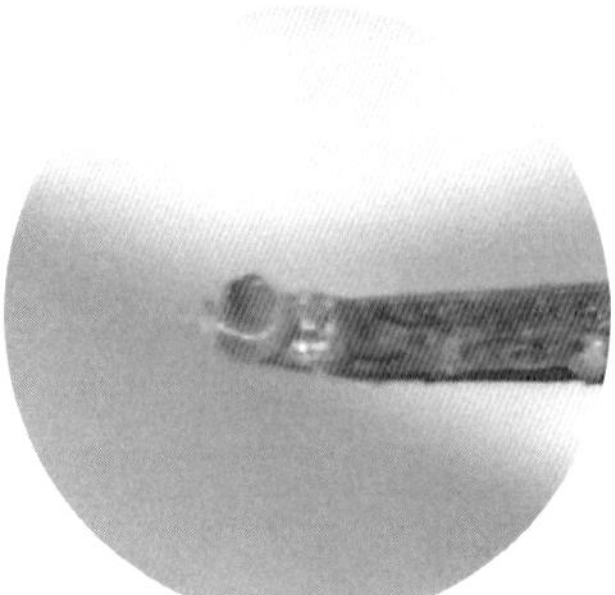
5-9　ふ化後１日齢の幼虫（撮影・山本なお子）

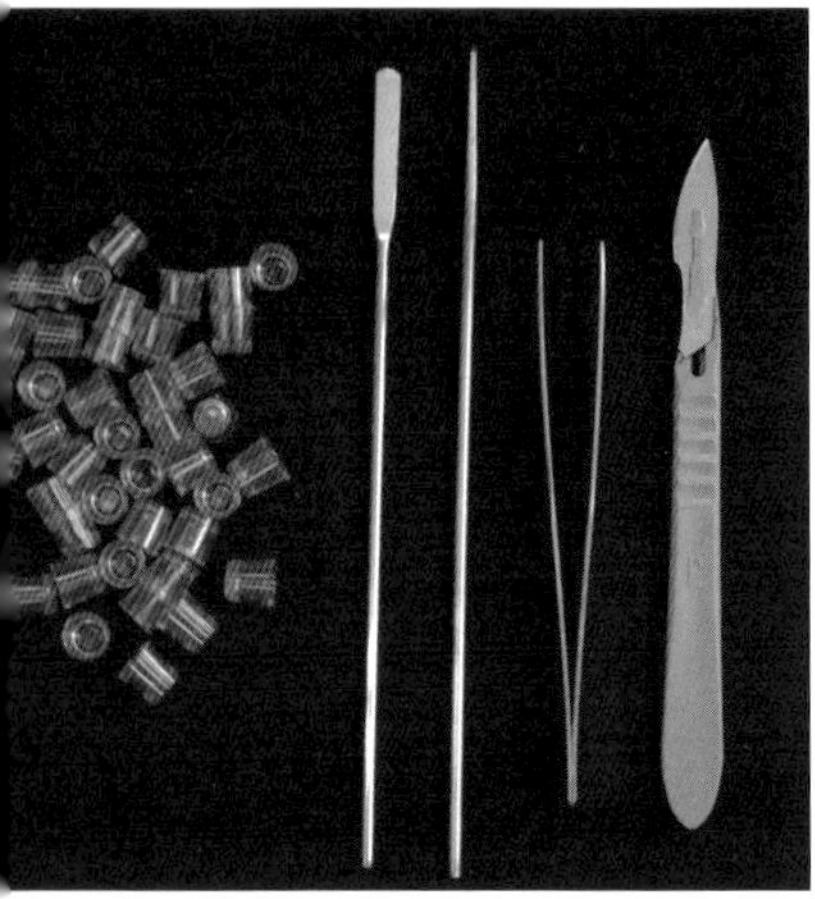
5-10　**女王蜂生産キット**　左端が人工王台のキャップ

キャップの底に、ローヤルゼリー（一年たったもの、繁殖期の自然王台内から取り上げたもの、冷凍にしておいたものでもよい）を常温に戻したあと、マッチ棒の頭ほど入れて、その上に幼虫をのせる。ローヤルゼリーは西洋ミツバチのものでもよい。

巣枠の下部のほうに棒を渡して、この王台キャップを蜜蝋などを利用して取り付け、女王蜂がいなくなって一週間以内の巣箱の育児圏に入れてその巣箱の中の働き蜂に育児させると、一〇～一三日以内に新しい女王蜂を得ることができる。

自然な交換王台や変成王台（女王蜂が死んだあと急遽つくられる王台）に比べ、数多く確実に王台ができるのがメリットで、また、各種能力に優れた群れの幼虫を女王蜂に育成する選抜改良育種にも使えそうである。

七～八月　暑さ対策、餌不足に注意

夏の危機、逃去への備え

夏は、花々は多いが、それを求める昆虫などの競争も激化するため、蜜源植物が相対的に不足する時期である。また夏の暑さは日本ミツバチにも過酷で、スムシの発生も多くなる（スムシの生理のほうに有利に働く時期といえる）。これらが重なると逃去を招くので、盛夏は危機の季節ともいえる。しかもいっぽうでは、夏までに増えた蜂数によって冬越しの蜂数がほぼ決まり、それが翌年春の蜂数に少なからず影響するから（99ページ参照）、夏場をどのような群れの状態で経過させるかが非常に重要なのである。

六月ころの分封によって群れの規模がいったん小さくなると、広い横型巣箱では、室温管理やごみの処理がしきれず、スムシの増殖・被害を防ぎきれなくなって、決定的なダメージを受ける場合が多い。その前に「現代式縦型巣箱」に移植することを提案する（第Ⅳ章84ページ）。横型に限らず、底のごみのたまり具合と害虫の生息状況をつねに点検して、掃除と、熱湯処理によるスムシや衛生害虫などの駆除を行なうことは必須作業である（Ⅲ章50ページ参照）。

給餌、暑さや農薬への対策など

貯蜜不足は即、逃去《とうきょ》につながるので、内検で貯蜜量をよく確認する。たとえときならぬ大量の貯蜜があっても採蜜はつねに控えめにし、巣枠一枚おきにするなどして、半分は残す。またミツバチが蜜ぶたをかじり始めたときは、緊急事態なので、すぐに給餌する。砂糖水を各種給餌器に入れて与えるか、人工巣脾に蜂蜜を塗り込んで挿入する。餌不足は、他の巣箱や野生ミツバチでも起こっている可能性が高く、蜂蜜のにおいがすると盗蜂のうえ、殺し合いが起こりやすい。それを防ぐために、においのない精製蜂蜜か砂糖水（純白の）で給餌する。

暑さ対策として、木陰に置くか、ヨシズや屋根掛けで日陰をつくってやる。場合によっては別地域（標高の高い山など）への移動も視野に入れる。これで蜂蜜を集めるようになるが、さらに猛暑になると集蜜どころか怠慢になって逃げ出すこともある。縦型巣箱は外の温度変化の影響が少ないとはいえ、直射日光が強く巣箱に当たらないようよく点検する。西日が強く当たるところもありえる。ミツバチは巣箱内の温度を下げるために、水をまいて羽をふるわせて送風する。そのために、近くに水飲み場がどうしても必要である。ないと、これもまた大きなストレスになる。

夏場は田畑での農薬散布が多く、ネオニコチノイドやエチプロール剤のようなミツバチに大被害がある薬剤の散布もありえる。死なないまでも免疫が落ちてふだんは出ない病気にかかりやすくなるかもしれない。訪花・集蜜範囲の作物栽培、散布計画などをつかみ、農家・生産者団体などとの相互理解を得て安全対策を図る。不可能なときは年次計画のうえ、山間《やまあい》にクマ対策の電柵を設けて、そこを夏場の養蜂場とするしか、いまのところ有効策はない（ミツバチ不足は、農家にとっても今後大問題になるという認識が必要である）。

夏秋分封群、逃去群を捕らえたら

夏秋の分封群や逃去群はあまり蜂蜜を持って移動してこないし、蜂数も少ないから、給餌が必ず必要である。飛んできた群れからは早く蜂蜜を採ろうなどとは絶対考えず、逆に蜂蜜を与えて守ってやるほうが賢明だ。

ミツバチの側からすればすぐに巣をつくらねばならず、そのために外から巣づくり用の蜜蝋にする蜜を集めねばならない、次世代の働き蜂になる蜂児もいないという状態におかれている。無理して採蜜すれば、群れはあとでガタガタと崩れるのも当然である。

だから、産卵して、蜂児が育ち、蛹が羽化して働き蜂が増えて、と一巡するのを待つ。そうなってから少しぐらい搾るならよい。それまではがまんの一字である。

九〜十月
盗蜂とスズメバチ対策を万全に

盗蜂対策

秋口になると、夏の暑さでいったん中断していた産卵も再開される（関東以南では九月中旬から）。秋は、冬越しのための子育てを開始し、蜂蜜をためこむ季節である。そして、この時期には、西洋ミツバチによる盗蜂、スズメバチの襲来が多くなるから、しっかり対策をする。

盗蜂は蜂蜜のにおいをかぎつけてくるので、内検や採蜜は必ず夕方遅めに短時間で行なう。西洋ミツバチは巣内の貯蜜圏が満杯になるまで、蜂蜜を集めてこようとするので、いったん盗蜂行動が起こると徹底してねらった日本ミツバチの群れの蜂蜜を持ち去っていく。また、激しい攻防戦で、ミツバチ同士が大量に死ぬことの被害も大きい（写真5―11①、②）。

同所で西洋ミツバチを飼っている場合の対策の第一は、西洋ミツバチの貯蜜状態を確認して、不足なら先に西洋ミツバチの群に充分に給餌することである。その際、日本ミツバチの蜂蜜を与えると、日本ミツバチのにおい（唾液・フェロモン）を覚えて日本ミツバチの巣を襲ってくるから、絶対に与えてはならない。西洋ミツバチにはハッカヤアーモンドエッセンスなど洋菓子材料のどれかを〇・一％くらいの濃度で糖液または精製蜜に混ぜて与え、日本ミツバチにはそれと異なるエッセンスを混ぜて給餌すると、盗蜂予防に大変有効である。

数匹でも西洋ミツバチの飛来を見たら、すぐ巣門を小指の先程度に小さくしておく。それでも巣に多数入られた場合は、真っ昼間、残っている働き蜂が飛んでいても巣門を閉じて緊急に二km以上離れた場所へ移動する。少数であれば巣内にいる西洋ミツバチはそのまま連れていっても、日本ミツバチとにおいも混ざって慣れて群れの一員として一緒に働く。この現象を逆に利用すると、不思議と下の囲みにあるような優秀な仕事をさせることができる。

盗蜂の被害

5-11①　盗蜂の西洋ミツバチとの攻防戦による双方の死骸

5-11②　ふたまでかじられ蜜を盗られている

スズメバチ対策

スズメバチは、現代式縦型巣箱は出入り口サイズを小さく、板を厚くしてあるので、容易に入り込めない（第Ⅲ章51ページ参照）。また、日本ミツバチ

西洋ミツバチ合併で優秀な働き蜂を確保

スペシャルな技術として、西洋ミツバチの蛹を巣枠ごと、日本ミツバチの巣箱に入れると、羽化後、

①ローヤルゼリーを多く生産する優れた〝ナース蜂〟となって働いてくれる。

②スムシ（ハチノスツヅリガの幼虫）の発生を強力に防いでくれる。

③ほかの西洋ミツバチなど外敵を止める番兵蜂として働いてくれる。

これは、西洋ミツバチの日本ミツバチへの合併であるが、蛹のときだけ有効である。卵や幼虫だと働き蜂に撤去される。

この逆のパターンで、西洋ミツバチの群れにうまく両者のにおいをなじませたうえで日本ミツバチの蛹枠を挿入すると、羽化した日本ミツバチの働き蜂が西洋ミツバチのダニを退治してくれる現象が見られる。ただし、蛹が生まれた後の巣脾枠は間髪入れず抜き去ること。

要は、巣のにおいが、自己を目ざめる役割なのだと思う。

スズメバチ対策

5-12② スズメバチ捕獲器

5-12① 捕らえたスズメバチを蜂蜜漬けに

は群れの統制がとれているときは、集団で警戒信号シマリング等を出すことによっても、侵入されにくくしている。しかし、巣の周りを飛び回って巣門を伺ったりするチを捕らえたり巣門を伺ったりすると、ミツバチの飛行が妨げられ、おびえてふだんより働く気力も低下してしまう。見つけ次第、捕虫網で捕って駆除する。軽く叩いてその場で蜂蜜漬けにするなどして、健康食品に利用するのは、安全を確保のうえならおすすめしたい（写真5—12①）。筋肉痛の特効薬として科学論文にもなっているし、マウスの実験ではあるが記憶力によい影響もあり、認知症の軽減の可能性もある。また、不整脈にもよいとのこと。試してみる価値がある。とりきれない場合、横型巣箱には西洋ミツバチに使用されるスズメバチ捕獲器を取り付ける（写真5—12②）。

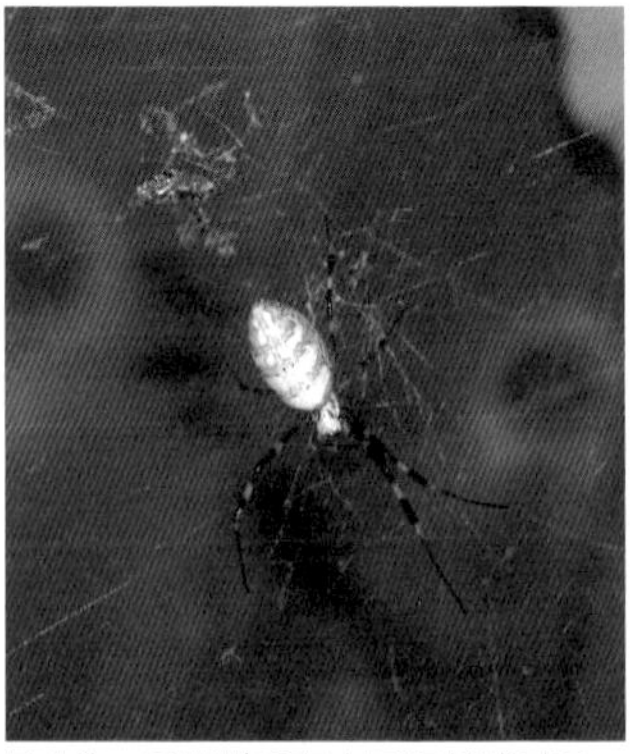

5-13 ミツバチを大量に捕食するジョロウグモ

増えてきたジョロウグモ

近年、各地でジョロウグモが急速に増えている。その巣には、大きなからだのメスと小さなオスがいて、網を三層にかけて、飛行する虫がかかりやすく、逃れにくくしている。夏の初めから増えてからだも大きくなり、養蜂場近くの一つの巣で蜜蜂を一日に二〇～一〇〇匹以上も捕まえることもある。一夏通したらおびただしい被害である（写真5—13）。

農薬にネオニコチノイド剤が使われるようになって、クモの天敵のカリウドバチが減り、さらに同剤に強い体質をもつクモ類が増えているようだ。そういう生態系の変化も見逃せない。

十〜十一月初旬
冬越し準備の諸管理

巣枠の整理、産卵スペースの確保

肌寒さを感じるころになると、蜜源の開花が極端に減るとともに産卵数も減ってくる。巣箱内の巣脾枠を内検して、貯蜜・育児に使われている枠だけ残し、あとは整理して中央に寄せて、人工巣脾の給餌枠で挟むようにする。

また、寒冷地では、三段巣箱などで上段に貯蜜・育児が少ない場合は、上段をはずして中下段に凝縮して冬越しさせるほうが、ミツバチたちの巣内での採餌や保温などに好都合である。

いっぽう近年、暖地では温暖化やヒートアイランドの影響で、秋遅くまで都市部では蜂蜜がどんどんたまるようになってきている（ビワやサザンカなど）。そのような場合は、越冬蜂を増やすための産卵スペースが確保できるようにするため、蜂蜜が多すぎれば搾るか産卵用枠を足して産卵を促す。

越冬前の産卵は、東北では九月中旬〜十月下旬、東京では十月末〜十一月末が最後の勝負である。十月、さらには十一月にも貯蜜が多すぎて産卵できずに、「狭いな」という感覚が起こり、時ならぬ分封が起こることもまれにはある。同時に逃去も増えている。各地で冬間近まで、貯蜜および育児、全体の蜂量や群れの規模や状況をよく確認して、必要に応じた対応をする必要が出てきている。

冬越しのための給餌の時期と量

給餌は、岩手県のような寒冷地では、十月下旬には終わるようにする。関東以南だと、そんなに急がなくて、十二月中で〇℃以下にならないうちならよい。要は、給餌する蜂蜜水や砂糖水（濃度五〇〜六〇％）が完熟の蜂蜜状（濃度八〇％近く）となるためには、ミツバチが飲んで組成を変えながら、大量の水分を飛ばさないといけない。この水分が災いしてミツバチが凍ったり、それが半端なままで貯蔵されていると発酵菌が増えて下痢したり、病気になったりすることを避けるためである。

ただし、越冬用給餌のはずがあまり早い時期に与えると、初冬の暖かい日に活動奨励給餌の役割になり、産卵・育児を不適切に始めさせてしまう。蜂

蜜の消耗と育児疲れになる。地域ごとに適期を見定めて行なう。

越冬のための給餌量は、100ページに述べたように、縦型巣箱二段で蜂数一万五〇〇〇匹で越冬する場合、上段の貯蜜圏いっぱいにたまった状態プラスアルファで約七～一〇kgである。

冬越し用給餌の仕方

ミツバチが飲みやすい薄さの砂糖水（糖度四〇～五〇％）か蜂蜜液（同五〇～六〇％）をつくって、給餌缶に入れて、枠箱下の空底箱（半枠箱）から給餌する。西洋ミツバチ用にならって、巣箱の中に枠式給餌器を入れて給餌する方法もある。

液の温度を四〇℃くらいに温めて与えると、部屋も温まるし、粘らないから吸いやすい。あまりいっぺんにやらず、全部吸ってもらうように五〇〇gずつくらい与え、吸い方をみて一～二日で空になることを繰り返す。

給餌して二、三日も残っていたら、急いで給餌をストップし、残った給餌液を取りはずすこと。発酵して菌が繁殖し、ミツバチのからだに害を与えることがある。黄色くなったら使えないし、直火で温めなおしてこげさせたりするとさらに毒になるので、注意を要する。

給餌缶には、ミツバチが溺れないように、浮き板をつける。缶面積より少しだけ小さい板を入れて、下を割り箸で支える。缶が空になって補給するときは、ドクダミやミントを口に含んで息を吹きかけてミツバチをどかせ、浮き板を上げてから蜂蜜を入れ、板を戻す。浮き板の上から流し入れることは、ミツバチを蜂蜜で汚すのでよくない。浮きが蜂蜜でぬれているとミツバチはその上を歩くことを嫌う。

給餌を暖かい昼にやると、騒ぎを起こしたり盗蜂を招いたりするので、夕方近くか夜、ミツバチがもう飛べない時間帯に行なう。

十一月中旬～二月下旬
給餌と保温管理

冬の観察、貯蜜の多面的効果

真冬は二～三週間に一回程度見に行けばいいが、冬越し給餌後にも蜂児が相当に増えていたら、給餌が必要になる。新春から早春、巣の外に細かい黄色いカスが出始めたら、産卵・育児が順調なサインである。巣箱をそっと持ち上げてみて軽くなっていれば、餌が足りない状態である。

暖地では、一週間に一回行かないでいるとすでに餌不足になっていることがある。逆に貯蜜圏が蜂蜜でいっぱいになり、蜂数もかなりの数で溢れているという場合は、枠箱をもう一段足していい。その際は枠箱を上にではなく下に足し、蜂児のいる巣脾枠を一、二枚移して、人工巣脾枠に給餌して挟むと、とても有効である（育児用巣枠を加えたことになる）。

筆者の祖父はよく「冬の一匹は夏の一〇〇匹」といっていた。春まで残って活動する要めの蜂を大事にするべきという意味である。働き蜂の成虫の生存期間は野外活動の少ない冬期は一〇〇～一五〇日間。だから冬に少しずつでも生まれた蜂は貴重である。そして給餌と、次で述べる保温管理が大切である。

蜂蜜は粘性があって、温まりにくく冷めにくく、熱伝導も小さいから、たっぷり貯蜜したり、人工巣脾枠に給餌して挟んだりすると、そのものが優れた保温材になる。現代式縦型巣箱の熱だまりのよさとあわさって、保温効果が高まる。これによって、日本ミツバチの体温消耗が少なく、蜂蜜がゆるんで食べやすくなり、育児可能な期間も長めになる。結果的にミツバチの残存率の向上につながる、暖房エネルギーとしての蜂蜜消費が少なくてすむなど、一石三鳥、四鳥の効果がある。

巣箱の保温など

巣門は、雪の多いところでは一番上段を開けておくが、上だと熱を逃がしやすいので、できるだけ小さくする。基本的には、上段と中段の二ヵ所を幅一～二cm程度開けておく。下段を開けておくとミツバチが巣内を長距離歩くことになり、寒気にあたり群れにたどり着くまでに凍死することがある。日本ミツバチは、幼虫の存在するときは、巣のかたまりの部分の群れている中だけを発熱暖房で三四℃に温めようとする。巣箱全体を暖房しないので省エネであり、蜂数も西洋ミツバチの半分から三分の一で冬越しできる（Ⅱ章30ページ）。

それだけに、巣箱内部に寒風が吹き込んだり、温度が急激に変化したりしないように、風よけや覆いなどの保温対策をし、内検・管理は暖かい午前中に短時間で終えるなど、気を配って作業する。

森の木の洞にすんでいる群れでは、南向きで風の弱いところのものが長生きするし、入り口からの風がストレートに入らないように、巣脾を斜め横に配置している。そんな日本ミツバチの野生の知恵に学ぶところ大である。

5 巣脾の整形、人工巣脾の活用

ふくらみ、ムダ巣

巣枠の間隔が西洋ミツバチの広さのままだったり、「かわいそうだ」と開けてやったりすると、ふくらんで二重の巣脾になったり、また巣脾がよじれてくる。そうなると、作業しづらいし、巣枠の上げ下げのときにミツバチをつぶすアクシデントが起こりやすく、女王蜂も見つけにくくなる。

ふくらみや巣脾をつないでいるブリッジ（蜜蝋のつながり）をこまめに切って、平らにする。また、隣の巣脾同士は向かい合わせ面の凹凸が対応しているから、できるだけ元の順序、向きを変えないように並べていく。巣枠同士の間隔は正確に配置する努力が必要である。

自然巣を巣枠に移植した場合、巣枠の下から離れ小島のように巣をつくることがあるが、これはスムシが上がって来やすくなるし、産卵もしにくい。このようなムダ巣も切り取る。切ったものは、捨てずに冷凍か冷蔵庫にしまっておき、蜜蝋の材料として活用する。

人工巣脾による自然巣脾の整形

日本ミツバチを養蜂するにあたり理想的な間隔は、巣枠の中心から中心が三〇～三二・五㎜。隣りの巣脾とのすき間（ビースペース）が、蜂が一匹ないし一匹半通れる八～一〇㎜である（Ⅲ章31ページ）。

人工巣枠は、前記の間隔がほぼ正確に確保できるように設計されている。そこで、巣脾のふくらみを切り、ゆがみを平らにすると同時に、自然巣の巣脾枠と人工巣脾枠を交互に入れサンドイッチ状にすることにより、定規代わりとなり、全体的にきれいな巣脾に整形されてゆく。

6 採蜜

採蜜時期と量、蜂蜜の品質

採蜜のタイミング

「現代式縦型巣箱」で二段の群れ（ミツバチ数約一万五〇〇〇匹）を、流蜜期に二ヵ月も採蜜しないでおくと、上下の段に巣枠一〇枚くらいにびっしり蜜がたまる。それで約一〇kgになる。これを一枚おき、もしくは表裏の片面ずつ遠心分離機で数回に分けて搾って巣脾を空にしてやると、またせっせと貯め始める。季節によってたまる量は違うが、こまめに採蜜を繰り返せば、年間五～一〇回搾って三〇kgくらいまでの採蜜が可能になる（写真5―13①、②）。

もちろん、「4　四季の飼育管理」で述べたように、蜜源植物の不足や巣づくり・育児優先などで搾れない時期がある。

そのいっぽう、分封熱をそぐために採蜜すべき時期もある。または増群に力を入れる時期もあるので、それらをバランスよく判断し、適度に採蜜することが基本である。

蜂蜜の糖度と香り

日本の農林規格では〝純粋蜂蜜〟の蜂蜜の糖度は七六度以上と決められているが、日本ミツバチの蜂蜜は酵素が多いためか、七八度未満の糖分だと発酵したり気泡が生じたりして商品としては嫌われる。さらに例外的に七八度以上でも発酵することもあるので、糖度計で測って、とくに人に譲る蜂蜜や長期保存用の蜂蜜は七九度以上で採蜜することを心がける。

巣房に蜂蜜が貯められて約一週間、薄くふたがけされたときが糖度七八度前後で、花の香りが強くて食べて楽しむのにもちょうどよい状態である。この糖度が、遠心分離器にかけて採蜜することもしやすい。

蜂蜜の花の香りは時間とともに消えていく。これを長くもたせるには、光や空気にさらさないこと（透明・半透明の容器は新聞紙などで包んでおくとよい）、二五℃以上のところに長期保存しないこと、プラスチックは避けること。

糖度八〇度以上になると、気温にもよるが、重く水飴のような粘りが出て、保存性が高まる。ただし、遠心分離機にかけたとき蜂蜜が出にくくなるので、巣脾を壊さないようゆっくり長く回すなどの配慮が必要になる。

遠心分離器による採蜜

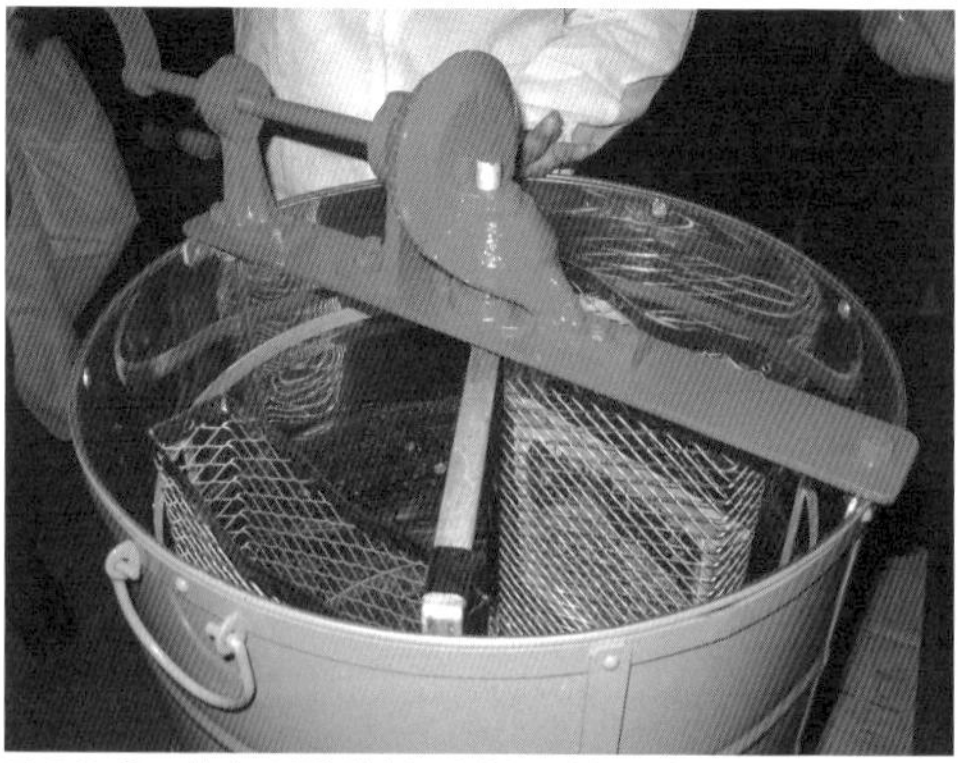

5-13① 幼虫の飛び出しと巣の破損に気をつけて回転させる（撮影・山田英幸）

5-13② いよいよ日本ミツバチの蜂蜜が採れる！（撮影・藤原養蜂場）

採蜜作業の実際

日本ミツバチにやさしい採蜜の心得

採蜜は雨天や気温が低く湿度の高い日には行なわない。日本ミツバチは、とくに気温一〇℃（西洋ミツバチは一一℃）以下で機嫌が悪く攻撃的になることをわきまえておき、天気がよく風も少なく蜂蜜や花粉集めに行きたいような機嫌のよい日に行なう（ただし、近くに西洋ミツバチのいるときは夕方近くに行なう）。

巣箱の前に立って、振動を与えたり、クマのように速い動きをして手を挙げたりすると、日本ミツバチは「攻撃モード」にスイッチが入るので注意する。巣箱の後ろか横に立ち、ゆっくりした動きで作業し、ヨモギやドクダミをかんで息を吹きかけるなどして、先制的に「脅えモード」を保ちながら作業する。

採蜜のとき、西洋ミツバチ養蜂では、ミツバチを巣枠をふって巣箱の中に放り込むことが多い。効率はよいが、これを日本ミツバチでやるとかなりのストレスになる。「この箱の中では危ない！」と思い、危険を伝えるにおいを出すようだ。その後、数日間仕事をしないこともある。また、逃去の誘因になりかねない。

そこでいったん巣箱の外、出入り口の前に払い落として、作業が終わって中に入るときには「安全なわが家に戻れた」と思えるようにするほうがよい。振り落とすときは、一、二と二回でほとんどの蜂を落とせるようにする。まだ飛べない若蜂もいるから、出入り口の前から散らばらないようダンボール箱などで囲みをつくり、日陰部分もつくってその中に落として、自然に元の巣に自ら帰って行くようにする。

採蜜作業

蜜房のふたは蜜刀で薄く切り取る。作業前に、お湯（魔法ビンを使用してもよい）、水、布巾を準備しておく。蜜刀を温めると切りやすい。蜜刀に蜂蜜がつくと切れにくくなるので、ときどき布巾でぬぐい、布巾は水洗いしながら作業を進める。

採蜜は、通常巣枠を一枚おきに搾る。そうしないと巣脾全体の表面が蜜でべとべとして足場が悪く、日本ミツバチは歩きにくくなって、巣の復旧が遅れ、ひいては産卵再開も遅れることになる。そしてストレスで逃げ出しやすくなることもある。一枚おきに（または巣脾の片面ずつ）採蜜して、乾いた面を残して置くようにする。

残した巣蜜枠は、余力があるかどうかも観察しながら、丸二日はあけることをめどに採蜜する。

日本ミツバチの自然巣脾は最初のうちはやわらかく弱いので遠心分離機に使うと壊れてしまう。ミツバチは割れた巣脾を修理したがらない。やわらかい巣脾も二～三回育児枠として使うと硬くなるので、それから蜜枠にすると分離機で回しても耐えられるようになる。人工巣なら最初から遠心分離機に使える。

遠心分離機の操作は、巣礎からつくられた巣枠は初めゆっくり回す。やわらかい巣脾は壊れやすく幼虫も飛び出しやすいので、約一秒に一回転。人工巣脾枠の場合はそれよりもっと強めに回せる。蜂蜜だけで幼虫もいない場合ならば一秒間に二回転回せる。

価値ある日本ミツバチの巣蜜

自然巣は巣蜜（バージンコム）利用として、あとは人工巣脾に切り替えていくようにする。

西洋ミツバチはプロポリスを巣に加えるせいか、巣蜜は硬くて口に入れたときサクッとくだけない。これに比べて、日本ミツバチの巣蜜はサクサクとし、パンにのせて食べたときは、とくにデンプン質にくるまれて口どけが非常によく、食べやすい（写真5―14）。できたての巣蜜は純白でもろさがあるが、それだけに西洋ミツバチより価値が高く、譲って喜ばれる。自分で飼育している庭先から採ったばかりの新鮮な巣蜜を、ホームパーティのテーブルにワインやチーズ・クラッカーとのせて、友人やお客様におもてなしできる喜びを想像してみてほしい。

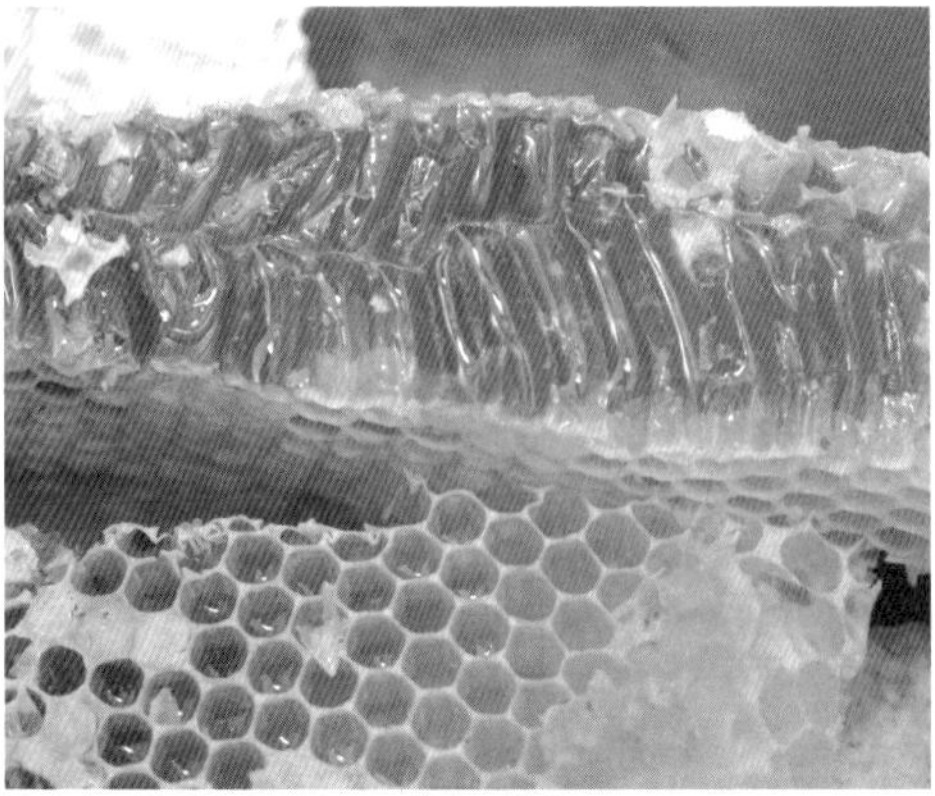
5-14　貴重な日本ミツバチの巣蜜

　五～八月前後にできたものであれば、採っても群れへのダメージもあまりなく、縦型の巣箱内の巣蜜枠部分は、コンパクトだからスポッと抜きやすい。そのあとには人工巣脾などを挿入しておけばよい。

蜂蜜、蜜蝋の精製と保存

蜂蜜の精製と保存

　自家消費や知人などへの贈り物などが目的の少量の処理なら、晒《さら》し布で漉《こ》す方法が適している。小なべなどに晒しを張って（ひもや輪ゴムでとめ）そこに四〇℃くらいに湯せんで温めた蜂蜜を通すと、ミツバチの羽、蜜蝋片、花粉、蜂ブラシの毛などを漉しとることができる（四〇℃はミツバチの体温程度）。

　または、もっと原始的に細長い広口ビンに入れて一日おくと、細かい異物が蜜の表面に浮き上がってくるので、掬《すく》いとる。布や竹ざる、たらい、土のつぼなど自然素材やステンレスの用具を利用することが、もっとも蜂蜜の品質やイメージを損なわない。

　販売用には、ステンレス製の蜜漉器を使う。写真5―15のような円形蜜漉器や軽便蜜漉器、大量処理に向く二重角形一斗缶用蜜漉器などがある。ただし、溢れないようしっかり見て作業する。軽便・円形型は、遠心分離器の口にかけて、下にボールなどを置いて漉す。軽便型では一回では混入物が残るので、養蜂場で一回漉した後、持ち帰ってもう一回布などを使い漉す。なお、

5-15　円形蜜漉器

蜜漉器は水洗いしたら必ず乾かしてから使用することが肝心（発酵防止）。

長期保存・貯蔵は、冷暗所の常温で行なう。八〜一五℃がよい。日本ミツバチの蜂蜜は酵素を含んでいるため、長期保存すると旨味成分が出て深い味わいになる。素焼きの壷の内側に蜜蝋を塗って、蜂蜜を入れておくと、心地よい旨味が増すとともに、香りまでも長く保たれる。私どもの養蜂場の倉では目下一〇年以上の長期保存もの「ビンテージハチミツ」も多数生産している。

蜂蜜の結晶とその活用

蜂蜜は一〇℃以下の低温で、しかも振動を与えると結晶しやすい性質があり、菜の花などの蜜はとくにその性質が強い。結晶すると同一の糖分子同士が集まろうとして水分が吐き出され、その部分は糖度が低くなる。すると、発酵しやすくなって、品質に変化が現われてくる。

結晶化した蜂蜜を元に戻すには、大鍋に水を入れて六〇℃以下に保ち、その中に結晶蜜の入った容器を浸けて、一〜二時間くらいかけてゆっくり湯せんで溶かす。少しでも結晶が残っていると、すぐに再結晶を始めるので、完全に溶かす。

結晶を乳鉢や石うすなどですりつぶし、広口ビンやタッパーなどに入れて冷蔵庫に保管し、再結晶させると、均一で、きめ細かく扱いやすいマーガリン状のおいしいクリームハニーができる。冷蔵庫には黒っぽい紙で包んで入れるとよい。

蜜蝋の採取

切り取ったムダ巣や蜜ふた、自然巣の移植で余った巣脾の切れ端などは、蜜蝋にして有効活用する。鍋に入れてお湯を注ぎ、火にかけて、浮いてくるごみを取り除きながらよくかき混ぜゆっくり溶かす（写真5－16①）。完全に溶けたら火を止めて、細かい金網で漉して、一昼夜静置して冷ます。

表層には必ず蝋が固まるので、水

を捨てて、蝋の裏側についている泥状のごみ（蜂児のからだや花粉などの残骸）を取り除く。水洗いしてタワシでこすり落とす。これを二、三回行なう。二回目からは晒しの布で漉す（写真5—16②）。するときれいな蜜蝋ができる（写真5—16③）。その後必ず乾燥させてから新聞紙などで包み、密封せず保管する（常温）。

蜜蝋製の和蝋燭《ろうそく》は、煙が少なくて香りもよく目が痛くならない最高級の蝋燭である。ヨーロッパのキリスト教会では、ススが出ないためステンドグラスの天井絵の美しさが守られる蜜蝋一〇〇%の蝋燭を使い、そのために教会や修道院の中庭などで盛んにミツバチが飼われていた。

蜜蝋のほか、エゴマ油と混ぜてアトピーなどアレルギー体質の人にも安心な家具を磨くワックス、ハンドクリーム、石鹸や蝋細工、リップクリームにもできる。日本ミツバチの貴重な副産物として、暮らしの楽しみやナチュラルな商品づくりに活かしたい。

蜜蝋の採取

5-16① 鍋に湯を注ぎ、火にかけ、よくかき混ぜる（撮影・藤原養蜂場、以下３枚とも）

5-16② 晒し布で漉す

5-16③ きれいな蜜蝋ができる

蜂蜜の流通と販売

現行の基準は西洋ミツバチのもの

蜂蜜の品質の基準などは、いまのところ西洋ミツバチでつくられたものが慣行的に適用されている（これが、日本ミツバチにはあわない部分もある）。

たとえば、餌として与えた蜂蜜や砂糖液が少量でも混ざったら「純粋蜂蜜」としてはならないという規定がある。西洋ミツバチでは、すべての巣蜜枠を一気に搾れるから、給餌後二回目の採蜜からは餌の糖分はほぼ残っていないと説明することができる。

ところが、日本ミツバチでは、全巣枠を一気に絞ったら蜂への負担が大きすぎる。また、花別の採蜜も完全にはしにくい性質もあるので、巣蜜枠一枚おきとか、片面だけとか、半分くらい残すという方法もすすめている。そのために、若干は餌が残ることもありうるので、西洋ミツバチのような「きれいさっぱり」というパフォーマンスがしにくい。

日本ミツバチとしてのパフォーマンスが大事

そこで、日本ミツバチ製品の生産技術の必要性から「給餌由来成分が若干含まれることがある」ことを明示し、ただし「その給餌はすべて無添加自然原料の砂糖や精製蜂蜜で、きびしい品質管理をされたもの」というふうに説明することが必要だ。

さらには、給餌後の蜜・砂糖はすぐにミツバチの体内で蜂蜜に生成・濃縮されて、育児や生活エネルギー全般に使われるから、「二回目の採蜜からは、給餌成分そのものはほぼ検出されない」ことを説明したい。そして、実

蜂のエキス酒

蜜蝋採取の素材と同じ、ムダ巣や自然巣移植時の残り端を、蜂児が腐ってしまわないうちに布などに入れて強く絞り込む。出てくるエキスをアルコール（ホワイトリカーか焼酎）に入れて、撹拌すると卵酒のようになる。このエキスは、自家製精力剤としても利用できる。

また、蜂群を新しい巣に慣らしたいとき、あまり産卵しない女王蜂をスイッチオンさせたいときなどに、水で五～一〇倍に希釈しスプレーで巣脾枠などに散布すると効果がある。要は新鮮な蜂児のにおいが少しつくことであるようだ。

際の品質管理は、それぞれの生物特性に添ってなされるべきという新たな見方への理解を促したい。

蜂蜜にショ糖は五％以下ならＯＫという規定があるが、これはニセアカシア、クローバー、レンゲなどマメ科植物の蜂蜜が主体の欧米でできた基準によるものである。それらの蜂蜜には、ショ糖が大量に含まれているからである。いっぽう、日本に多いクリやリンゴ、ユリノキなどの蜜が入ると、オリゴ糖含有の数字が出ることが多い。ところが、前記欧米基準の規定にはオリゴ糖は認められていないから、注目の機能性成分でありながら、それが入っていることで、蜂蜜の基準に反することになってしまう、という不条理が起こる。

評価基準とは個別的、歴史的なものである。日本ミツバチというまったく新しい分野のもつ特性、その個性・魅力についての理解・共感を広げながら（Ｉ章10ページ）、さまざまな不合理は正していくことが必要である。

今後、日本ミツバチの製品規格の作成が絶対必要である。現代を、その区分けのチャンスとしたい。

Ⅵ章

トラブル回避
――蜂群のリフレッシュと増群

1 危機の群れを救う

「森の自由な民」日本ミツバチは、西洋ミツバチとは異なるさまざまな特徴、個性を持っており、いま、それに適した巣箱、飼い方が可能になったことは、本書でこれまで述べてきたとおりである。この章では、日本ミツバチに起こりやすい蜂群の危機とはどういう状態か、危機から救い群れを守る緊急対策や、継続、安定して飼うための管理法のあり方を、具体例を通じて紹介する。

二つの事例は、「なぞの消失」となったり、ふつうは回復の見込みなしとして飼育を諦めたりするケースかもしれない。筆者は、そのような群れであっても、また衰弱のうちに森へと逃げ去ってしまうものであっても、できるだけ力をつけてやって、生きのびてもらう手助けをしてきた。数々の失敗も含めた体験から、日本ミツバチの扱い方の基本と応用的テクニックも身につけることができた。

本章を読まれて、日本ミツバチの特徴・個性の理解をさらに深められ、前章までに述べた技術・管理の意味を確認していただきたい。

盗蜂されてしまった群れの合併

被害と西洋ミツバチの居座り

夏の終わりに、遠隔飼育地の日本ミツバチの巣箱が西洋ミツバチの激しい盗蜂にあった。盗蜂発見、対応の時期がすでに遅く、蜂蜜は取られ放題で、蜜ぶたまで壊されている（写真6―1①）。蜂児・蛹も弱りはて、攻防戦で多くの働き蜂が失われている。まだ次々と多数の西洋ミツバチがこの巣箱に出入りしている。――「現代式縦型巣箱」で順調に育っていた群れが、一回の盗蜂、いっときの対応遅れで壊滅的ダメージを受けてしまった例である。

急いで二kmの距離を移動したが、西洋ミツバチが乗っ取ったかたちの混成群となっている。統制がとれなくなり、キイロスズメバチが巣門まで来て中をうかがっても、シマリング（V章96ページ）も起こさず、防衛態勢がとれないでいる。働き蜂は、働く意欲もなく、〝脅えモード〟が激しく、箱底近くに

激しい盗蜂を受けて危機に

6-1 ①　ふたまで破壊され蜂蜜を奪われた

6-1 ②　混乱のなかで女王蜂は仲間に殺された

かたまっている。

　女王蜂は、混乱の中で自らの働き蜂に殺されることも考えられる（写真6—1②）。ふだんは女王蜂は働き蜂に君臨したかたちになっているが、働き蜂には女王蜂に対し「仲間意識」はない。女王物質で〝結界〟を張っているようなものなのだ。盗蜂などの危機に見舞われると、働き蜂は〝女王物質を出し忘れた女王蜂〟を攻撃して殺してしまうことが多いようだ。そうでなくとも巣内の思わぬ敵の攻撃を嫌い、巣箱外に自ら飛び出して、冷えて死ぬこともある。

とるべき盗蜂対策

　夏は蜜源植物の開花・流蜜が比較的少なく、〝夏バテ〟もあり営巣活動は鈍りがちだが、秋口からほとんどの正常な群れでは産卵・育児が盛んになる。このとき蜜不足になると盗蜂が起こることは、前章で述べたとおりである（108ページ）。

　西洋ミツバチはとくに、空いている巣房はすべて蜜で埋め尽くそうとする性質があり、また、単一種の花から大量集蜜しようとする。ところが、夏から秋口はサクラやニセアカシアなどのように一時に大量に咲く花が少なく、西洋ミツバチにとっては集蜜しにくい時期である。そんなとき、日本ミツバチの巣箱は、最高の単一の「蜜源」となる。

　だから、西洋ミツバチの活発な活動時間帯に、日本ミツバチ巣箱から蜂蜜のにおいを出さないことが重要で、給餌・内検・移植などの作業は夕方近くから夜にすること、巣箱や周辺に蜂蜜を落としたり汚したりしないこと、入り口を極端に小さくすること、日よけを徹底し、巣箱内の室温を上昇させないことなどは鉄則である。

また、周辺の西洋ミツバチの貯蜜状況に注意して、少なければ遅れずに給餌し、他の人の西洋ミツバチがいる近辺では、巣門を小さくして防衛力を強化したり、日本ミツバチの巣箱は二km以上離れたところへ移動することが基本対策である。その際、前章で述べたように、前もってであれば西洋ミツバチと日本ミツバチとで餌のにおいを変えることも有効である（109ページ）。

なお、盗蜂は日本ミツバチ同士でも起こる。そのときの日本ミツバチ同士の攻防戦は、あの小さく愛すべき身なりにもかかわらず、非常に激しいこと、刺し違えたままの蜂も含めておびただしい死骸となって、双方に損害が出ることに、注意していただきたい。

弱った群れの合併

盗蜂で弱体化した群れは、同じような群と合併することで勢力を回復できる。混乱、大暴れした後は、わらにもすがりたい状態なのだろうか、それほど大きなストレスなく合併できることが多い。盗蜂によって加わっている西洋ミツバチは入ったままでいい（ただし、元巣箱の活動圏から二km以上、しかも一ヵ月以上は離しておくこと）。

日本ミツバチの二群を合併するとき、はじめは二段に重ねるが、その境目は金網またはサッシなどの細かい網で行き来できなくしておく。二〜三日くらいして、においが

弱った群れの合併

6-2② 2群を上下別々に入れる。慣れたら境の金網をはずす

6-2① 巣箱を重ね、境に金網を入れて分離

混ざって、慣れたところで金網をはずして一体化する（写真6―2①、②）。その際、日本酒（軽くスプレー）やラベンダーエキス（数滴）を巣箱内に少量かけてから合併すると、仲間意識づくりに早い効果があるという報告がある。

　このとき女王蜂がどちらかいっぽうの群れにのみ健在なことと、蜂児・蛹が最低どちらかの群れにはあることが、合併成功の重要な条件である。女王蜂を王かごに入れて、育児枠上部に取り付け、自分の群れの巣箱に入れる。女王蜂のいる巣箱は上段に置く。

　合併後は二～三日くらい王かごに入れたままにして合併相手の働き蜂も充分なじませた後に解放し、あと一週間、ハチマイッターをつけて逃去を防ぐ。

　女王蜂がいない場合は、他の群れの働き蜂の三日齢までの幼虫をもらい、人工王台キャップ（第Ⅴ章105ページ）で育成するなどの方法で確保する。春よりも女王蜂生産の確率は悪いので多めに作製する。

　最悪、女王蜂ができない場合は、働き蜂が産む無精卵から育ったオス蜂が、どこか他の群れの女王蜂と交尾して、そちらで子孫を残す可能性だってある。くやしまぎれの見方と思われるかもしれないが、女王蜂消失後の働き蜂産卵（オス蜂誕生）は血統としての全滅ではなく、遺伝子はオス蜂を通して他の群れに受け継がれる可能性を残すためのものである。

危機の横型巣箱のレスキュー

　次にとりあげるのは、西洋ミツバチ用の横型巣箱で日本ミツバチの飼育を続けてきて、夏も終わりになって、急に働き蜂の活気がなくなり、その数が減り、産卵・育児も停止するなど、一般的には再生不可能な異常事態に陥ったケースである。

消滅コースの実態と原因

　まず、巣箱の外からは、巣門を出入りする働き蜂がきわめて少ない。わずかに戻ってくる蜂も、花粉を運んでくる蜂がいないから、蜂児はいないか、ごく少ないことが想像できる。

　ふたを開けると、健全な巣箱の甘い乳酸のにおいでなく、ハチノスツヅリガの鱗粉のにおいがする。巣枠を上げてみると、女王蜂が見えず、巣房に産卵がないことから、事故や衰弱で亡失したか、働き蜂に殺されたか、女王蜂はすでにいなくなっている（写真6―3①）。

　貯蜜も少なく、働き蜂の数が少な

消滅コースの群れ

6-3①　女王蜂不在で、働く意欲も喪失

6-3②　スムシによる巣脾の破壊

いうえに、働く意欲をすでになくし、蜂蜜を消費しているだけの状態である。また、働き蜂のからだにツヤが出て、女王蜂化し始めている。

　女王蜂がいなくなったり弱ったりすると、働き蜂が女王蜂化して産卵する。ふだんは、女王蜂が、女王物質を働き蜂に与えて避妊させているが、これが切れると複数の働き蜂が仮の女王蜂になる。しかし、交尾はしないので、産んだ卵からかえるのはすべてオス蜂となり、群れは消滅コースをたどる。この例の場合、無精卵産卵はまだ見られないが、間違いなく消滅コースをたどりつつある。

　このような事態を招き、激しくする大きな原因はスムシ（ハチノスツヅリガの幼虫）であることが多い。実際、巣脾面が中、外ともボロボロに食い荒らされており（写真6—3②）、箱底の板やごみには、スムシと蛾の蛹が多数見られる。

　西洋ミツバチ用の横長の巣箱だと、飼い始めて夏期に入りしばらくするとこういうことが起きやすい。分封した後の群れはとくに多い。横長の巣箱では働き蜂の守備範囲が広すぎて、小さい群れだとごみを排出しきれず、害虫・外敵から巣を守りきれないからである。また、安易に西洋ミツバチの巣枠を消毒せず利用した場合に、一見いないように見えるスムシの極小な幼虫や卵がほとんどの場合、隠れ潜んでいるものだ。

緊急対策 ―スムシ駆除と給餌

　その場ですぐに行なう緊急対策は、次のうち①②③である。④については、しばらくして群れが落ちついてから行なう。

①清掃とスムシなどの駆除…下箱はきれいなものに取り替えて、底から巣枠までの距離をはなす。もとの箱はきれいに掃除して熱消毒する。

②給餌して落ち着かせる…たとえ逃去されたにしても、二日分くらいの蜂蜜を持って出て餓死せずしばらくは生き延びられるようにする。これは、最悪でも飛び去った先で小さな巣をつくり、無精卵からオス蜂が発生してどこかの女王蜂と交尾が可能になることを願ってのものだ。

③巣枠の整理、生活空間の圧縮…スムシで傷んだ巣脾枠をはずし、群れの大きさにあった数にする。それを分割板で挟んで、群れの生活空間を狭めてやる。この例では、七枚あった巣枠を一枚だけとし、蜜補給の人工巣脾枠で挟む。

④蜂児・蛹の巣脾枠の補給…他の元気な群れから卵、幼虫、蛹の枠をもらって育てられるくらいのものを挿入、育児、花蜜・花粉集めなどの行動を思い出させる。

①〜③のスムシ駆除や給餌など緊急対策は午前中でも行なう。しかし④の蜂児の補給のタイミングは、提供群の縦型巣箱への移植などを同時に行なうケースが多いため、夕方にやるのがベストである。移植などのストレスによる逃去は日中に一番起こり、夕方日暮れ時には逃去はしない。また、移植作業などで騒ぎが起こり、蜂蜜のにおいが周りに広がると、他の群れによる盗蜂が起こるが、夕方はそれがほとんどない。夕まづめ（太陽が沈んでから真暗になるまでの間）の頃が最適である。

緊急対策の効果の確認

右記の対策により人工巣脾で給餌した蜂蜜を、元々の巣脾に移していることが効果の現われの一つであり、重要である。蜂蜜の移動作業を通じて、自分たちのにおいが新しい巣にも付着していくので、自分たちの巣である自覚が身についていく。そうなればミツバチは落ち着いてくる。

養子受け入れで働き蜂の活動再開

給餌に加えて、卵、幼虫・蛹の少量ある巣枠を補給してやると、養子（養女？）をもらったような状態となって蜂たちの仕事が始まることが期待される（写真6—4）。女王蜂化し始めた働き蜂が少し見られても、無精卵産卵がまだない場合は、女王に事故があってからそんなに時間がたっていない状態であり、多くの働き蜂は正常に活動できる。

ただし、この危機にある群れは横型

巣枠一枚分と小さく、働き蜂も少ない。そのため、提供を受ける養子枠は、養う卵・幼虫があまり多すぎて負担にならないよう、一枚とする（可能であれば蛹だけの巣脾枠がベスト）。

巣脾枠についていたミツバチは、すべて提供群に残す。提供群の巣箱前にダンボールでつくった蜂溜めを、すき間のないようにガムテープで接着させて、蜂を払い落とす。

受け入れ群の元の巣枠の隣に養子枠を挿入し、新旧二枚の巣枠の両外側を、四〇℃くらいに温めた糖液または蜂蜜水を給餌した人工巣で挟むようにする。

6-4　他の群れからの幼虫・蛹の補給

新女王確保のための手立て

提供された巣脾には受精卵があるから、変成王台ができて、新女王が誕生し、交尾してきて、産卵を始めれば、群れが復活したことになる。

それには、ローヤルゼリーをつくる若い働き蜂がいることが条件となるが、養子先は産卵がなくなってから少し時間がたっているので、働き蜂が年をとっている可能性がある。その場合は、もう一枚、蛹だけの巣脾枠をあまり多すぎず提供してやるとよい。蛹は働き蜂の育児負担にならない。蛹が羽化して、一週間たってから一〇日ほどはローヤルゼリーをつくれる若蜂になる。そのころ女王蜂になれる幼虫（受精卵が孵化して三日まで）がいれば、女王蜂に育つことができる。

幼虫が育ってしまい、もう女王になれないという場合は、あらためて他の巣から幼虫や蛹を入れてやることもできる。人工王台キャップに三日齢までの働き蜂幼虫を移植したものを数個挿入してやるとよい（V章105ページ、王台キャップの利用など）。このように、チャンスを二回、三回とつくってやって、群れの再生をめざすことができる。

前記の中で、女王蜂がまだ死亡、消失してないこともあるが、そのときも女王蜂の生産以外は同じ手順で行なう。

2 農薬による危機 ―その克服に向けて

6-5　農薬散布の後に起こった西洋ミツバチの大量死（撮影・藤原養蜂場）

突然死はどうして起こるのか

今日、ミツバチにとって最大の危機要因は農薬であると、筆者は考える。とくに近年、健康・環境被害から社会問題になった有機リン系農薬に代わる切り札として登場したエチプロールやネオニコチノイド系農薬が、逆に今までの薬とは比較にならないほどミツバチを危機に陥れている（写真6―5）。

ここ数年、世界中で、ミツバチの大量死や蜂群崩壊症候群（Colony Collapse Disorder、CCD）が問題になり、その原因として、ウイルス説、ダニ説、農薬説、ストレス説などさまざまな見解が飛び交っている。筆者は、「日本で起きているものの多くの元凶はネオニコチノイドにある」と指摘してきた。現象的に、ウイルスやダニが最後の引き金を引いていることもある。しかし、ネオニコチノイドがミツバチの体の抵抗力・免疫力を低下させていることが真の原因だと考える。

ネオニコチノイドは、低濃度で高い殺虫効果を示し、イネに始まりミカン、トマト、リンゴ、ナシ、ダイコンなど野菜・果樹に広く使われている。

その殺虫作用は、ミツバチを含む広範囲の昆虫の神経系を破壊するようにできている。とくに「記憶の昆虫」ミツバチは、つねに太陽の方向や目印を見て、またにおいをかぎ分けて行動するから、農薬の神経作用への影響は、帰巣飛行や8の字ダンスによる情報伝達などの基本的な行動を妨げる危険性も充分考えられる。

平成十七年八月中旬、筆者の養蜂場で百群を超す巣箱の周辺一面に西洋ミツバチが無数に死んだ。岩手県下で、水田のカメムシ防除にネオニコチノイド製剤の一つ、ダントツのいっせい散布が始まったときであった。この時期、ミツバチは豊富なタンパク源であるイネの花粉を集めに田んぼに通う。この際、不思議にも同養蜂場に設置の日本ミツバチの被害は軽微であった。それは西洋ミツバチに比べて野生である日本ミツバチは、花粉に付着したあまりにおいのないネオニコチノイドのにおいまでもかぎ分けて、避けたものと思われた。比較して一〇対一くらいの被害であった。

その後、同様の西洋ミツバチ被害報告が相次ぎ、原因究明の試みのなかで、滋賀県にある民間研究機関によりネオニコチノイドが検出された。やがて法律上、日本の食品中に認められる残存量（ポジティブリスト）の基準の一〇〜二〇〇分の一という低濃度でミツバチに大被害の出ることもわかった。

さらに、マルハナバチやカリウドバチの類やトンボなどへの大きな影響も確認した。これらの昆虫が減り、かわりにミツバチへギイタダニなどダニ類（生理的にクモの仲間に近いそうだ）や、ミツバチを大量捕食するジョロウグモなどクモ類が異常に増えている。いっぽう、付着した花粉が速効の殺虫力がない低濃度でも、ミツバチは卵から幼虫になって蛹になるまで急速に成長する間、食べ続ければ、その神経系への悪影響は蓄積、拡大し、抵抗力・免疫力の低下を招いてしまうだろう。

この低濃度の散布による農薬の被爆が、世に言われるCCDと同じ結果を日本でも最近急激に起こし始めていると思われる。

対症療法から根本的対策へ

ミツバチという「家畜」の健康被害は、生態系の撹乱と同時進行している。

とくに西洋ミツバチは、果樹や野菜の受粉（ポリネーション）にも重要な役割をしてきた。現在、ミツバチの不足によって世界各地で受粉率の低下が深刻になった。その原因として（根本原因はさておき）、ミツバチにつく寄生ダニ薬剤の耐性が挙げられ、新しいダニ剤が認められて、ポリネーションを行なう養蜂家に配布されている。

また、ひところ、日本ミツバチが

幼虫や蛹を巣から引っ張り出して殺してしまう「子殺し」が、主に九州地方で大問題になった。この原因は、ウイルスか細菌など微生物の感染のようであるが、ダニに効く乳酸液をかけると異常行動がいったん止まることから、ダニが何らかの悪さをしていることも考えられる。

　しかし、では、ダニが異常に増えているのはどうしてか？　ミツバチが免疫を落とし病気・被害を受けやすくしているものは何か、その根本からの改善に向かわねばならない。単にダニ剤に抵抗性を示すダニが出たという学者の見解は疑問が多い。

　フランスでは、ネオニコチノイドの一種の使用を最高裁が状況証拠で禁止し、ドイツ、オランダ、イタリア、ベルギーでも「予防原則」でフランスに追随し、禁止か自主規制を始めている。

　日本では、次善の策としてミツバチなど虫に愛情をもつ者や生物多様性を重視する人々の間で、虫が嫌うにおいの出る忌避剤をまきながら農薬を使うという提案をしている。しかし、いまのところ県や国、農薬会社には聞き入れてもらっていない。取り返しのつかない事態になる前にしっかりした情況の把握、理解と早い解決が望まれる。

（撮影・藤原養蜂場）

3 ミツバチとともに、生物多様性・共生の空間づくり

ミツバチは低農薬の徴《しる》し

今日、いわゆる減農薬栽培が広がっている。歓迎すべきことのように思えるが、たとえばこれまでののべ二〇回散布を半分の一〇回にして、その分、ネオニコチノイドのような影響の大きい農薬をかけているという逆効果も判明してきた。

日本ミツバチは、田畑で、野山で、西洋ミツバチよりはるかに多様な草木をこまめに回り、受粉を助け、蜂蜜を集める（第I章参照）。西洋ミツバチのように蜂蜜生産を高めるため特定の花のみ追いかけ、巣箱を移動して飼うこともほとんどなく、その地域に継続的に受粉貢献している。日本の各地域の植物の命のつなぎ役であり、日本ミツバチの健康・繁栄は、日本の生物多様性・共存のメルクマール（徴《しる》し）でもある。筆者は西洋種であれ、日本種であれ、ミツバチの巣箱を一年間、畑の近くにおいても群れが元気で健康であり続けるなら、真に減農薬・低農薬としてアピールできるという「ミツバチ認証制度」があったら素晴らしいと思っている。

ミツバチビオトープ

筆者の故郷である岩手県央の盛岡市から宮古市へ抜ける山中にある飛鳥養蜂場は、棚田の最上部にある。その水源地の養蜂場のすぐ下の一枚の水田をビオトープとして、ヒメダカを放し

6-7　ミツバチ・イネ・水生生物が共存するビオトープ

6-8　**ビオトープ水田で無農薬稲作**　水田の持ち主、佐々木定雄さん（右）と著者

た（写真6―7）。ホタルイ、クレソン、ガマなどの水辺植物が繁茂し、メダカもヤゴもどんどん増え、ゲンゴロウ、コオイムシ、カブトエビ、オタマジャクシ、タニシ、モノアラ貝なども増えてきて、ついにはカモの一家もすみついた。その水が流れ込む何枚かの水田では、地主さん農家に頼んで、除草剤一回だけの「無殺虫剤」栽培をしてもらっている。もともと減農薬栽培をされてきた農家であるが、このへんの田は以前は水が冷たくイネの青立ちがあったが、ビオトープ池の温水効果でよく実るようになったという（写真6―8）。

ビオトープ池は、ミツバチにとっても安全な水汲み場であり、極低農薬イネの温水池であり、その安全な花粉をミツバチが餌にし、多様な水生生物や、イネの害虫を食べるトンボやクモなどの天敵が育つ、山と棚田と養蜂場が水でつながる景色にはやすらぎがある……というように、一石三鳥、四鳥の効果が出てきている。カメムシも気になるほどは増えない。「ミツバチのいる農業・農村公園」といえる。

「現代式縦型巣箱」は軽くて、お年寄りや女性、そして子どもにも手軽に取り組めるので、そんな自然豊かで安全な「農業・農村公園」で、米栽培やミツバチ飼育の体験をしてもらうのはどうだろうか。

ミツバチとともに、自然の恵みが巡りめぐる健全で永続性のある地域環境と生産・生活の楽しみを各地でつくりだしていただきたいと願っている。

あとがき

ごく最近、私は学習院大学経済学部教授の川嶋辰彦先生にお招き頂き、タイ国チェンマイの奥地にある山岳少数民族の村々で、現代式縦型巣箱の応用とその普及のための研究や指導を行なってきた。タイ国のみならずアジア全域には、日本ミツバチと同系統の東洋ミツバチが多く生息し、一部では粗放的ながら養蜂も営まれている。先生はこの東洋ミツバチ養蜂の近代化と植林とを組み合わせ、村人の収入源確保と自然生態系の保全の両立を考えられたのである。この取り組みは、先生が水利開発や学校、集会所の建設など同国で一五年余り続けている『コンゴバプロジェクト』の一環であり、私の帰国後も川嶋先生の熱意ある指導によって広がりを見せつつある。私はタイ国のような取り組みが近い将来、北はモンゴルから西はイラクまで、広くアジア全域にいる東洋ミツバチの生息地帯に、このタイプの巣箱とともに普及していく予感がある。また、そうなっていくことを希望している。

西洋ミツバチも、元は東洋ミツバチ同様に粗放的（原始的）に飼われていたが、「ラングストロース式」という可動式巣枠と巣箱を用いた手法が百数十年前に開発されて以降、世界中にその飼育法は広がった。東洋ミツバチについてもその生物学、生態学的な研究がかなり進んだ現在、独自の可動式巣枠、巣箱が見いだされるのは自明の理であろう。願わくば、本書で紹介した技術により日本在来種ミツバチがこれからも日本の〃食と心〃の財産であり続け、さらにアジアにおける養蜂としての東洋思想復権のかけ橋になってほしいものである。

最後になったが、わがままでルーズな私の執筆活動に協力頂き、最後まで見捨てずにいてくださった方々、日本在来種みつばちの会と銀座ミツバチプロジェクトの皆様やＬＬＰ旬様、なかでも後藤純子さん、山本なお子さん、高安さやかさん、そして多くの知識と示唆を与えてくださった全国の日本ミツバチ研究者の方々に、心よりお礼を申し上げます。本当にありがとうございました。

二〇一〇年四月

藤原 誠太

羽を切ってあるなどの理由で女王蜂がついて行かなかった場合、いったん群れが外に出てもまた戻ってくる。しかしこの場合、あまり同じことを繰り返すと女王蜂が働き蜂に殺されることもある。そしていつのまにか無王になって働き蜂産卵していることもあるので注意が必要だ。

ら

流蜜（りゅうみつ）
蜜源植物が蜜を分泌すること。受粉を媒介する昆虫等を呼ぶために、いい天候のときに大流蜜することが多い。その日に吸われなかった花蜜は夕方いったん吸収され翌日天候により再流蜜するなど、花蜜が植物によってフレッシュな状態で用意されることも多い。受粉がすむと花の中心の色が変わり、流蜜が終わったことが他のミツバチへの標識として伝えられるものもある（ソメイヨシノ他）。

ローヤルゼリー
→「王乳」参照。

養蜂で覚えておきたい だいじな数字

●1週間
オス蜂が大量発生してから第一分封が始まるまでの一つの目安日数。

●1：1
水500 g、砂糖500 gの割合の給餌用砂糖水をつくる目安。越冬中や盛夏時に貯蜜が不足し、巣づくりや産卵・育児を奨励するためミツバチに食べさせたいとき、40℃ほどに温めて与えるとミツバチにやさしい。1割ほど濃いとミツバチが糖度を上げなくてすむので、秋、冬の寒い時期には効率がよく、それだけ疲れない。砂糖に熱いお湯を注ぎ温めながら溶かすとこがさずにできる。

●15日
女王蜂が卵から羽化するまでの日数。日本ミツバチの女王蜂は西洋ミツバチの女王蜂より羽化して出てくるのが早い。分封のタイミングを逆算して未然に防ぐ。働き蜂もオス蜂も1日半くらい早い。

●47℃
日本ミツバチたちが大勢で羽根の筋肉を収縮させて熱を出すと、47℃まで上げることができる。これはスズメバチの致死温度以上で、多勢でスズメバチにとりついてピンポン玉大の蜂球になり熱殺する。同時にミツバチが二酸化炭素を出して死期を早めさせる戦法も併用していることが最近の研究でわかってきた。

【参考文献】
「ニホンミツバチ誌」岡田一次著、玉川大学出版部 (1997/05)
「養蜂の科学」佐々木正己著、サイエンスハウス (2001/04)
「ニホンミツバチ—北限のApis cerana」佐々木正己著、海游舎 (1999/01)
「ニホンミツバチの飼育法と生態」吉田忠晴著、玉川大学出版部 (2000/1/25)
「日本ミツバチ—在来種養蜂の実際」藤原誠太・村上正著、農山漁村文化協会 (2000/04)
【参考論文】
「 大ガク腺成分によるトウヨウミツバチの誘引」菅原道夫、坂本文夫　(日本動物学会大会予稿集、2008/08)

チプロール)。日本はヨーロッパ、アメリカなどの残留基準よりかなりゆるい傾向がある。

ま

待ち箱(まちばこ)
ミツバチの分封群が入りやすく工夫して、ミツバチ群を待っている箱。一種の蜂群用トラップ(ワナ)である。偵察蜂に見つけてもらうために、ミツバチがすみやすく好みそうな場所に置いておく。野生の日本ミツバチと付き合う醍醐味を味わえる。「待ち受け箱」とも。

蜜胃(みつい)
ミツバチの腹にある器官で、花から集めた蜜をいったんこの部位に吸い込んで蓄えて運んでくる。ここに入ると蜜はミツバチの酵素でショ糖からブドウ糖と果糖へとただちに分解が始まり、“蜂蜜になり始める”といえる。自分の体重の3割以上の重さを運ぶこともある。さらにブドウ糖は一部グルコン酸に変わり強い殺菌力を発揮する。蜜のうともいう。

蜜切れ(みつぎれ)
地域や時期、および状況によっては巣内の貯蜜が不足する。餓死や逃去のきっかけになるので、つねに貯蜜を確認して、足りない場合は砂糖水や精製蜂蜜などを薄めたものを、夕方以後給餌する。

蜜源植物(みつげんしょくぶつ)
花蜜を出す、ミツバチにとって食料供給してくれる頼りになる植物。季節や地方、天候などで毎年量や質が変化する場合がある。ソバのように午前中だけ花蜜を出したり、野バラのように数年に一度多量に花蜜を出したりするなど、どの蜜源植物も自然界の不思議を感じるものである。また特別の例として植物が花以外から生産した甘味成分や樹木等にとりついたアブラムシの排出する甘露液も蜜源となる。

蜜刀(みつとう)
採蜜する際に蜜ぶたを薄くはぎ取れるように工夫された包丁。熱い湯などに浸け、温めながら切ると蜜ぶたが容易に切れやすく、巣も破損せず蜂蜜もムダにしないですむ。

ミツバチヘギイタダニ
西洋ミツバチにとっては寄生されると蛹の期間に障害を受けて羽化したり、最悪の場合は巣房から出られずに、そのまま死ぬ被害が起こる。日本ミツバチは自分たちでこのダニを殺してしまう習性をもっているので、巣内で大繁殖することはない(もともとの寄宿主である)。このダニも含め、多くのダニはいつもウイルスや細菌の伝搬役になるので注意が必要。

蜜蝋(みつろう)
働き蜂の腹部にある四対の蝋腺から分泌され、内役蜂が足をつないで協力して橋渡ししていき、巣づくりに一片ずつ固め、つないで巣脾の材料として使われている。日本では、古くから(東洋ミツバチの)蜜蝋が使われていた(和蝋燭、古楽器など)。正倉院御物に薬品として保管されている蜜蝋は、『日本書紀』にいまの韓国から朝廷に献上されたと記述がある。平安時代に地方から朝廷への献上物にも日本ミツバチの蜂蜜と一緒に蜜蝋の奉納が記録されている。

面布(めんぷ)
顔面や首、あごを蜜蜂に刺されないように帽子につけて着用する。着けていないとミツバチが黒いものを狙い、髪や目に向かってぶつかってきてわずらわしいし、危険である。黒い網でできていると光を反射しないので見えやすい。帽子から浮いたりフードに引っかかったりしてすき間があくとミツバチが入ってきて刺される場合もあるので気をつける。

戻り蜂(もどりばち)
分封や逃去しかけても女王蜂の

に蝋で橋を渡しているので、それが突起となる。それが、内検時にミツバチにケガをさせることがある。事前にハイブツールでそぎ落とす。巣箱の底などのごみ掃除にも利用する。

8の字ダンス（はちのじだんす）
偵察蜂や外勤蜂が伝えたい場所を見つけたときに仲間に巣脾上で教えるダンス。蜜源・花粉源・水・新しい営巣地の位置などを伝える。ダンス蜂の周りの蜂が感化されて一緒に踊り始め、目的地の方向・距離や食料の質や量までも伝わり、同時にダンス蜂のからだについたにおいも覚える。感化された蜂たちはこのダンスで得た情報によってその方面に飛んでいき目的の場所に行き着くことができる。

蜂パン（はちぱん）
ミツバチは空を飛びながら、または蜜を集めながらからだについた花粉をまとめて後ろ足に団子状にして運んで来る。その花粉を足からはずして巣房に入れる。それを内役蜂が頭を使って押し固め、貯蔵したもののこと。成虫や育ち盛りの幼虫の食料として使われる。さらに若い働き蜂の生産するローヤルゼリーの原料にもなる。ミツバチにとっては重要なミネラルやビタミン、タンパク源である。

蜂ブラシ（はちぶらし）
採蜜作業などでは巣脾枠を振って蜂を落とすが、それでも巣枠に居残ったミツバチを最後にさっと軽く払い落とすための道具。手首に軽くスナップをきかせて蜂にダメージを与えずに払う。

分割板（ぶんかつばん）
ムダ巣（巣枠外にできる規格外の巣）をつくらせないため、また保温のために蜂のいる場所とそうでない場所を巣箱の中で仕切る板。横型巣箱で日本ミツバチを飼育する際にとくに必要で、巣脾の枠を並べた片面もしくは両側に入れる。

分封（ぶんぽう）
サクラが咲くころから巣脾に蜂蜜がどっと入るために貯蜜巣部分が増え、比較して育児ペースが充分とれなくなる。するとミツバチは巣分かれ（分家）したくなり、先にオス蜂を大量に産んだり、王台をつくって新女王蜂を育成したりする。新女王蜂が羽化間近3～4日前になると、母女王が群れの半数ほどの働き蜂と少数のオス蜂も一緒に飛び立つ。働き蜂のお腹にはたっぷり蜂蜜を貯めて出ていく。いったん分封すると、それぞれの群れの働き蜂はそれぞれの巣仲間認識をもつようになる。

分封熱（ぶんぽうねつ）
働き蜂が増え、蜜や花粉をあまり集めなくなり、女王蜂の産卵が極端に減ってきて、王台が次から次と多数生産される状態。

蜂球（ほうきゅう）
越冬中や分封中に蜂が球状に集まったもの。蜂球の中は冬でも25℃以上に保たれている（育児しているときは34℃）。

蜂児圏（ほうじけん）
並んだ巣脾の中心からふつう何枚かの巣脾に育児箇所は広がる。そのようにミツバチの卵・幼虫・蛹を多く含む範囲。

蜂場（ほうじょう）
ミツバチのすむ巣箱を置いて、ミツバチが飛翔して生活を営めるようにした場所。

ポジティブリスト
食品中に残留する農薬など、一定量以上が残留する食品の販売などを禁止する制度で、残留基準の設定されている農薬などのほか、基準値が設定されていないものについては、人の健康を損なうおそれがない量として0.01ppm以下の一律基準が日本では適用される。しかし人間には大丈夫な残留基準でもミツバチにとってはその200分の1でも致死量になる薬剤もある（ネオニコチノイドやエ蜜をお腹に満たした働き蜂の群れ約半数とともに、新しい巣を求めて巣外に飛び出すこと。第二分封群以降は新女王の早生まれのものから分封する。

探索蜂（たんさくばち）
新しい蜜源や花粉源、水場やすみ家を探す役割の外役蜂。
→「偵察蜂」参照。

貯蜜圏（ちょみつけん）
巣脾の中で蜂蜜が入っている場所。近くには花粉も入っているのがふつう。巣の両端と中部分の上方が貯蜜圏になりやすい。

偵察蜂（ていさつばち）
日本ミツバチはふだんから偵察蜂が新しい営巣候補地を見て回っているらしく、分封や逃去のときはすでに行く先が決まっているか、候補地がある程度絞り込まれているようだ。たくさんの偵察蜂が見に行って気に入った場所を見つけて帰巣する。その蜂たちは、同位置を指し示すダンスを踊って教える。分封群も同様のパターンで仲間に新しいすみかを伝えようとし、やがて巣の近辺の木の幹にいったん集合し、多数決が決着すると蜂球全体に行き先が伝わりいっせいに移動となる。

逃去（とうきょ）
花蜜が枯渇したり、暑さで温度調節ができなくなったり、天敵に襲われたり各種のストレス等にあうと、よりよい新しい営巣場所を求めて群れごと巣から飛び立ち、移動していく行動。

盗蜂（とうほう）
花蜜の乏しい季節に甘い香りに誘われて他の群れに入り込み貯蜜を盗んでいく行動。西洋ミツバチと日本ミツバチを一緒に飼っていると、西洋ミツバチが集団で日本ミツバチの巣内に入り込みやすく、全滅させられることも多い。5月下旬からは要注意。とくにクリ蜜などの季節には独特のにおいが盗蜂を呼びやすい。同様に秋や早春も要注意。

働蜂産卵（どうほうさんらん）
女王蜂がいなくなって6日くらいたつと、働き蜂の一部に産卵能力が呼び起こされ、無精卵を産む。やがてオス蜂ばかり生まれてきて、群れは消滅してしまう。日本ミツバチは西洋ミツバチより働蜂産卵が始まるのが早いので注意する。しかし、元の正常群に戻すのも西洋ミツバチより楽である。

トラップ
分封群を誘引する仕掛け。待ち箱の隣りに細かな網をかぶせたキンリョウヘンを置いたり、焼酎（黒麹がとくによい）に黒砂糖を溶かした液を待ち箱の内部に塗ったりして、偵察蜂が見つけて気に入るようにした箱。日本ミツバチにとってすみ心地がよい飼育適地に置くことが捕獲の確率を高める。

な

ナース蜜蜂（なーすみつばち）
→「内役蜂」参照。

内役蜂（ないえきばち）
群れの中で女王蜂の世話や育児、掃除、巣の修理、蜜の貯蔵、門番などに携わる働き蜂で、日齢の若いものがこれらの仕事を行なう。ナース蜜蜂ともいう。

内検（ないけん）
巣箱内のミツバチや巣内の状況を観察すること。落ち着き具合、女王蜂の無事、産卵や蜂児の成長が順調か、貯蜜量などその群れの様子を可能な限り手短かに行なう。盛り時は1週間に1回は内検するのがふつう。

は

ハイブツール
ハイブとは英語で巣箱、ツールは道具のこと。ミツバチが蝋で固着させた巣枠の端をハイブツールでテコの要領で浮かせて巣枠を取り出しやすくする。ミツバチはときに巣脾と巣脾の間

奨励給餌（しょうれいきゅうじ）
産卵を促進するための給餌。春の花が咲き出す少し前に花も少なく貯蜜も少なくなる時期がある。しかし育児は進み貯蜜の消費も進む。こういうとき給餌をすると、女王蜂の産卵が促進される。奨励給餌を始めたら貯蜜と育児のバランスを確認し、足りなければ再度給餌して巣内の健康に気を配る。

人工巣脾（じんこうすひ）
ストローにも使われている安心な材質を用いて製品化。小さな六角形巣房の集合であるプラスチック巣脾の表面に、薄く蜜蝋が塗ってある。ミツバチはすぐになじみ､育児や貯蜜ができる。巣礎を盛らせることでミツバチに負担を与えてしまう季節にもこの巣脾なら簡便に増やすことができる。

人工分封（じんこうぶんぽう）
一蜂群をそれぞれに王台か女王蜂が入っている状態の群れに巣箱2～3箱に分けて、自律した群数に分割し増やすこと。1箱ごと働き蜂4000匹以上が無理のない分割の目安。

巣礎（すそ）
蜜蝋の薄い板に六角の巣型がプレスしてある（厚紙状）。気温が20℃以上になるとミツバチは無理なくこの上に自らの体内でつくりだした蜜蝋を口で盛り上げてゆき、巣脾を完成させ食料貯蔵や育児のために利用する。

巣脾（すひ）
一つひとつが六角形で、奥行きが1～2cmある巣房が、表裏背中あわせに板状に並んだもの。巣房は蜂にとって充分な奥行があり、貯蜜や育児に使われる。深さはミツバチの蛹が羽化するベッドになるので、ミツバチの身長をカバーする片側約1cmが裏表に連なっている。透かしてみると裏表の六角形が互い違いになって強度をましていることがわかる。

巣房（すぼう）
六角の巣の一つひとつの穴のこと。日本ミツバチの巣房の口径は西洋ミツバチより0.5mm小さい。巣房は、貯蜜・花粉の貯蔵・育児・新女王蜂育成の基本スペースであり、また巣房表面は働き蜂の休息、ミツバチ自身の食事、8の字ダンス、お互いのグルーミングなどをするミツバチの生活の場となる。

巣門（すもん）
ミツバチが出入りする門で、門番の蜂が守り、侵入者やにおいが違う蜂の侵入を防いでいる。ミツバチは暗い巣箱の中で生まれ、2週間以上たって初めて明るい太陽の下に身体をさらす。日齢が進んだ働き蜂は外勤の仕事につく前に、昼下がりここから出て、定位飛行（自分の巣箱がある位置関係を周りの環境と一緒に覚える）を行なう。新女王蜂は交尾飛行に出かけ、帰って産卵を始めると次に巣門から出るのはふつう分封のときとなる。

巣枠（すわく）
現代式縦型巣箱の巣枠は縦に二つに分かれるので巣礎を張りやすく、針金用の穴があいていて針金を通しやすい。巣脾が枠に納められていることで、採蜜、観察、群れの分割移動などがきわめて簡単にできる。木製やプラスチック製がある。

剪翅（せんし）　女王蜂の大羽の片方をまんなかあたりから切ることで女王蜂が飛べないようにし、逃去を防ぐ。剪翅は女王蜂にとってストレスになるのですばやく行なう。このとき、足や触角などに傷を負わせない。また、胸部を軽く押さえ、決してお腹を持たないこと。

た

第一分封（だいいちぶんぽう）
分封期に入り、ふつう王台から新女王蜂が羽化する数日前に、母女王蜂（旧王とも呼ぶ）が蜂

主な養蜂用語

あ

移虫（いちゅう）
女王蜂を人工的に育成するための一つの技術。ふ化後1～3日齢の働き蜂の幼虫を、ごく細い棒の先が小さな平たいコテになった器具にそっとのせ、ローヤルゼリーを入れた人工王椀（人工王台キャップ）に幼虫の元のからだの位置の表裏を変えずに置く。この王椀を、巣脾の下部に下向きに蜜蝋でつける。幼虫の表裏を変えないのは上側に気門があり呼吸しているから。

王かご（おうかご）
女王蜂を別の群から無王群に入れるとき、なじむまでの3日程度、また女王蜂更新時に新女王が無事に有精卵を産み始めたと確認するまで旧女王を1～2週間くらい入れておく金網などでできたかご。若い働き蜂を数匹一緒に入れて食糧や保温の役をする。日本ミツバチでは巣脾の間が狭いので、薄型が扱いやすくすすめたい。

王台（おうだい）
女王蜂の幼虫や蛹がローヤルゼリーをたっぷり与えられて育てられる下向きの大きな巣房。日本ミツバチでは巣脾の下部につくられるので探しやすい。世代交代のために自然にできる「自然王台」、移虫によってつくる「人工王台」、女王蜂遺失時や群れを人工分割してつくられる「変成王台」等がある。ほかに女王蜂がケガをしたり、体力をなくしたりしたときにできる「交換王台」というものもある。

王乳（おうにゅう）
ローヤルゼリーのこと。女王蜂とその幼虫を養うための乳白色の高栄養な物質で、働き蜂が羽化後約6日過ぎてから1週間程度限定で出すことができる。この日齢の働き蜂は女王蜂の周りにいて口移しで王乳を与えたり、巣房で成長する若い幼虫の下側に少量ずつ盛っている。

か

外勤蜂（がいきんばち）
働き蜂のうち日齢が進んで定位飛行をすませ、巣箱の外に出かけて、花の蜜や花粉、水を採ってくるようになったもの。人間でいえば中年以上（？）である。外役蜂ともいう。

給餌器（きゅうじき）
砂糖水や蜂蜜を給餌するときに使う。木製やプラスチック製などがある。蜂がおぼれないように割り箸や木片などで足場をつくってあげる。ミツバチは足場がぬれているのを嫌う。蜜を注ぐときはいつも足場をいったん取り出して、乾いた足場を蜜の水面に浮かべるようにする。他にステンレス製の巣門給餌器もある。

建勢（けんせい）
ミツバチが蜂数を増やして群れが大きくなると、外敵にも、気温変動にも強くなり、蜂蜜のたまる量やスピードも速くなる。ミツバチを大切にして強群に育て上げることを建勢するという。

さ

採集蜂（さいしゅうばち）
→ 「外勤蜂」「内役蜂」参照。

女王物質（じょうおうぶっしつ）
女王蜂から分泌されるフェロモン。王台の中にいるときから出ているようだ。働き蜂を落ち着かせ、働き蜂産卵にならないように働き蜂の卵巣の発達を抑える作用もある。若い働き蜂はローヤルゼリーを女王蜂に与えて、代わりに女王物質を女王蜂からなめ取っている。

蒸殺（じょうさつ）
ミツバチが巣箱内で熱を出して温度が急激に上昇すると、自らの熱で死んでしまうこと。巣箱の移動中は巣箱内に空気が通るようにし、すみやかに運び、目的地に着いたらただちに巣門を開けることが鉄則だ。中の巣枠の大揺れや落下も引き金になる。

著者紹介

藤原 誠太（ふじわら せいた）

昭和32年、岩手県盛岡市生まれ。東京農業大学農業拓殖学科卒業（在学中に北南米で約1年間養蜂研究）。独自に日本みつばちの飼育法を開発（藤原式）、養蜂関係特許多数保有。現在、㈲藤原養蜂場 場長、東京農業大学客員教授、日本在来種みつばちの会 会長。
著書に、『新特産シリーズ 日本ミツバチ―在来種養蜂の実際』（農文協、2000）、『ミツバチは警告する（上）―地球の生態系が危ない』（eブックランド社、2009）

編集協力・写真撮影（表示以外） 木村 信夫

■「現代式縦型巣箱」問い合わせ先

一般社団法人日本在来種みつばちの会
〒020-0015 岩手県盛岡市本町通1-11-25 小笠原ビル2F
会長 藤原誠太（携帯090-1060-6031）
事務局（携帯080-8254-8033）
FAX 019-681-8829
Mail hachinokai@kbf.biglobe.ne.jp
https://nihon-bachi.org/

自然愛護の立場から日本在来種みつばちの研究、保護 増殖の促進など、主旨に賛同する人たちが集まって活動する任意の研究団体。会員は北海道から沖縄まで日本全国で1000名を超える。会員には飼育指導、各種行事案内、蜜源樹・蜂群の斡旋、機関誌送付（年2～3回）、各種養蜂具の斡旋や割引などを行なっている（年会費は3500円）。

だれでも飼える 日本ミツバチ
―現代式縦型巣箱でらくらく採蜜

2010年 5 月30日 第 1 刷発行
2025年 4 月 5 日 第16刷発行

著者 藤原 誠太

発行所 一般社団法人農山漁村文化協会
郵便番号 335 - 0022 埼玉県戸田市上戸田2－2－2
電話 048 - 233 - 9351（営業） 048 - 233 - 9355（編集）
FAX 048 - 299 - 2812 振替 00120 - 3 - 144478
URL https：//www. ruralnet. or. jp/

ISBN 978 - 4 - 540 - 07189 - 8
〈検印廃止〉

Printed in Japan
DTP制作／條克己
印刷／㈱光陽メディア
製本／根本製本㈱
定価はカバーに表示